Adaptation française
de Christel Delcoigne
Copyright © Éditions Gamma,
Paris-Tournai, 1994
D/1994/0195/92
ISBN 2-7130-1704-1
(édition originale :
ISBN 1-56924-071-x)

Exclusivité au Canada :
Les Éditions Héritage Inc.,
300, rue Arran
Saint-Lambert (Québec) J4R 1K5
Dépôts légaux, 3e trimestre 1994
Bibliothèque nationale du Québec
Bibliothèque nationale du Canada
ISBN 2-7625-7968-6

Le matériel utilisé dans ce volume provient
de la série « Jours de pluie », parue chez
les mêmes éditeurs.

Imprimé en Belgique

Jeux

et activités

pour tous les jours

V. Bailey, D. Robson et Ch. Delcoigne

Éditions Gamma – Éditions Héritage

Sommaire

Introduction

Ne t'est-il jamais arrivé de t'ennuyer les jours de mauvais temps? Et lorsque tu organises une petite fête avec tes ami(e)s, n'as-tu jamais eu envie de faire quelque chose de spécial, sans savoir par où commencer ou comment faire?

« Jeux et activités pour tous les jours » te propose une foule d'idées à bricoler. Si tu souhaites donner un air de fête à ta boum, amuser tes ami(e)s ou tout simplement créer quelque chose de tes propres mains, ce livre sera une bonne source d'inspiration. Il te guidera grâce à des instructions à chaque étape. Chaque bricolage peut être réalisé à peu de frais avec des matériaux domestiques de base. Fini de s'ennuyer à la maison!

Alors, pourquoi attendre plus longtemps? Si tu aimes confectionner des déguisements, cuisiner, jardiner, amuser tes ami(e)s, faire de la magic, fabriquer des marionnettes ou jouer au théâtre, il te suffit de tourner la page...
Bon amusement!

De jolis chapeaux

Les chapeaux sont toujours très appréciés dans les fêtes. Pour en réaliser de très simples, découpe une bande de papier de soie de 12 cm de large. Elle doit être assez longue pour faire le tour de la tête de l'invité et il faut prévoir le rabat à coller. Plie cette bande en larges plis, puis découpe un triangle au sommet. Colle les extrémités pour pouvoir encercler la tête. Crée des chapeaux plus exotiques assortis aux déguisements choisis. Ils seront du plus bel effet !

Tu auras besoin de carton blanc et de couleur, de papier de soie, d'ouate, de peinture, de cure-dents, de papier d'aluminium, de fil, de papier adhésif et de colle.

La reine de cœur
Mesure le tour de la tête à l'aide d'un morceau de fil et base-toi dessus pour dessiner le contour du chapeau. (N'oublie pas d'ajouter quelques centimètres pour pouvoir coller les extrémités.) Recouvre une face de papier de soie rose. Décore le bas de la couronne avec une torsade d'étoffes ; sur les pointes de la couronne, colle des cœurs d'ouate avec un peu de papier de soie rouge. Colle ou agrafe les extrémités de la couronne.

6

Le roi du château

1 Mesure le contour de ta tête, dessine la silhouette du château avec ses tours sur du carton et découpe.

2 Peins les murs du château. Au lieu d'utiliser un pinceau, tu peux créer un effet spécial en tamponnant la peinture avec un morceau d'ouate.

3 Découpe quelques drapeaux. Attache-les à des cure-dents à l'aide de papier adhésif. Colle-les aux tours. Colle ou agrafe les extrémités du chapeau.

La couronne de Neptune

1 Découpe une bande de carton qui fasse le tour de ta tête et recouvre-la de papier d'aluminium. Sur un autre morceau de carton, dessine les vagues et découpe-les. Recouvre de papier d'aluminium et colle-les sur la première bande comme indiqué.

1

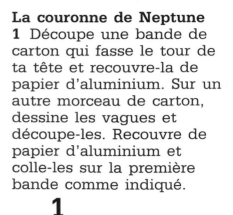

2

2 Découpe des petits poissons dans du papier. Accroche-les aux vagues en utilisant du fil et du papier adhésif.

La couronne sylvestre

1 Mesure le contour de ta tête et dessine sur du carton vert la silhouette de cette couronne, avec des feuilles. Découpe-la. Ensuite découpe plusieurs feuilles dans du papier fin. Utilise du papier vert, ou de la peinture pour obtenir différentes sortes de vert.

1

2

2 Colle les feuilles sur le carton, ajoute quelques bandes de papier de soie de couleur pour imiter les fleurs, et colle ou agrafe les extrémités du chapeau.

9

Une tenue de soirée

La fête peut prendre des allures de carnaval
si tu demandes à tes invités de venir déguisés.
Les déguisements ne doivent pas être
compliqués ni coûteux. Voici quelques bonnes
idées. Mais il y en a d'autres, et pas des moindres :
pirates, gitans, fantômes, Peaux-Rouges et clowns.

1

**Pour la sorcière,
tu auras besoin**
de papier noir,
de plastique noir
(un sac-poubelle),
de pailles en
plastique, de papier
d'aluminium, d'une
bouteille en
plastique, de tissu
noir pour la cape, de
papier adhésif, de
colle et de ciseaux.

2

1 Pour la chauve-souris, colle des pailles
en plastique sur du plastique noir. Coupe
les pailles comme indiqué ci-dessus.
Pour le chapeau, découpe un cercle dans
du carton noir. Mesure le diamètre de ta
tête et découpe un cercle de 8 cm de
moins dans le carton. Fais des encoches
pour obtenir des petites pattes.

2 Découpe une forme d'éventail dans du carton noir pour le dessus du chapeau. Décore de morceaux de papier d'aluminium. Roule le carton en cône pour qu'il s'ajuste au bord du chapeau, puis colle le tout. Replie les pattes sur le cône et colle-les.

3

4

3 Cette affreuse araignée n'est autre que le fond d'une bouteille en plastique, muni de huit longues pattes en papier noir.

4 Recouvre un livre de papier noir décoré de lunes et d'étoiles en papier d'aluminium. Enveloppe-toi d'un grand morceau d'étoffe noire, et ajoute quelques «toiles» d'araignée. Maquille-toi un peu et te voilà fin prêt pour le bal des sorcières !

Le squelette

Ce costume de squelette est rapide et facile à réaliser. S'il ne coûte pas cher, il fait le plus bel effet, particulièrement lors d'une fête peu éclairée !

1 Regarde les os de ce squelette. Reproduis les formes sur du carton blanc, en veillant à ce qu'elles correspondent à la taille de tes os. Découpe-les et utilise des feutres ou de la peinture noirs pour dessiner les espaces entre les os.

Tu auras besoin de fin carton blanc, de peinture noire ou de feutres noirs, de ciseaux, de papier à double face adhésive ou d'épingles de nourrice.

1

2

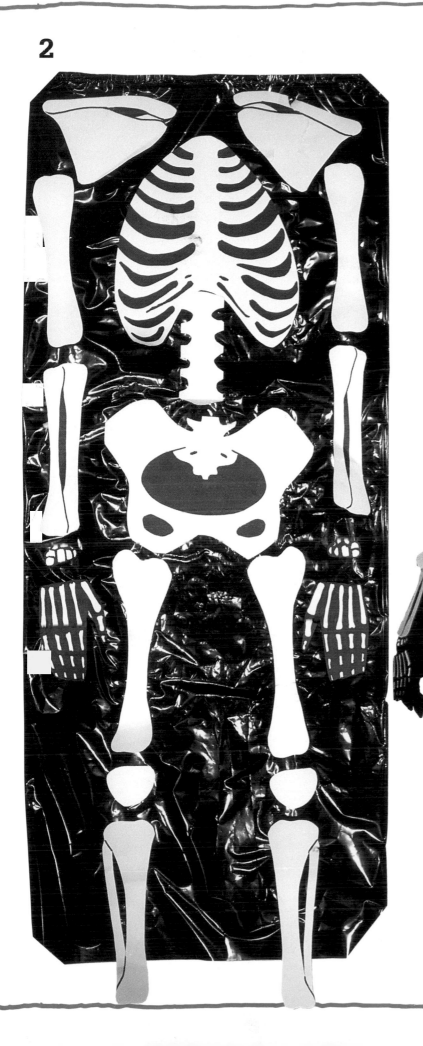

2 Tu devras porter des vêtements, des gants et des chaussures noirs pour l'occasion. Dispose les os dans le bon ordre, puis demande à un ami ou à un adulte d'attacher les os sur toi à l'aide de papier à double face adhésive ou d'épingles de nourrice. Sers-toi de maquillage blanc et noir pour grimer ton visage et tes yeux. Ainsi, ton déguisement n'en sera que plus effrayant.

Le bourdon

Le costume de bourdon est un superbe déguisement pour les plus petits. **Tu auras besoin** d'une bande de carton noir, de deux pailles, de papier d'aluminium, de fin carton pour les ailes, d'un sac-poubelle noir (ou d'un chandail jaune si tu en as un), de carton jaune, d'un crayon, de feutres, de ciseaux, de papier à double face adhésive, d'épingles de nourrice.

1 Découpe une bande de carton noir pour faire le tour de ta tête, et colle les extrémités. Roule 2 morceaux de papier d'aluminium pour faire des boules. À l'aide de la pointe d'un crayon, fais un trou dans chacune d'elles, et enfonces-y la paille. Colle les pailles à la bande de carton.

1

2

2 Découpe deux paires d'ailes. Décore-les comme indiqué. Si le papier est mince, tu devras peut-être le renforcer en collant une autre aile au dos de chacune.

3 Découpe des trous pour les bras et les ailes dans un sac-poubelle noir. Découpe des bandes de carton jaune et fixe-les à l'aide de papier adhésif sur le sac-poubelle. Colle les ailes de l'autre côté.

3

4 Enfile le sac-poubelle et les antennes avec précaution. Si tu as un chandail jaune, il te suffira d'épingler les ailes au dos et de décorer l'avant avec des rayures noires découpées dans le sac-poubelle noir.

4

Les napperons

Pour donner un véritable air de fête à ta table, réalise des napperons très colorés. Si ta fête a un thème, comme par exemple le cirque ou les animaux, les napperons pourraient l'évoquer.
Si tu choisis de dessiner des visages, tu pourras les transformer en masques en faisant des trous pour les yeux et en collant de la ficelle ou de l'élastique sur les côtés. Cela pourrait d'ailleurs être un jeu : demande à tes invités de créer leur propre napperon/masque et donne un prix au meilleur.

Tu auras besoin de carton fin, de feutres, de peintures, d'une petite éponge ou d'ouate et de ciseaux.

Dessine tes motifs sur du carton fin, en t'assurant qu'ils soient assez grands pour les assiettes que tu utilises. Découpe et colorie.

Tu peux aussi utiliser des pochoirs pour faire rapidement plusieurs napperons. Dessine un visage, comme ce clown, sur le pochoir ou dessine des formes simples, comme ces ballons et ces cadeaux. Découpe soigneusement les formes. Place le pochoir au-dessus du carton qui servira de napperon. Trempe une éponge ou de la ouate dans de la peinture, puis tamponne le pochoir comme indiqué.

Les assiettes en papier

Pour faire rapidement et simplement des masques qui recouvrent tout le visage, prends des assiettes en papier. Tu peux les attacher autour de la tête avec de l'élastique, comme pour les masques précédents, ou encore les coller à un bâtonnet et les tenir face à ton visage. Essaie plusieurs motifs. Tu peux les décorer avec des matériaux destinés au rebut, tels que de la laine, des pâtes alimentaires séchées, des perles ou de la peinture.

Matériel
Des assiettes en papier, un élastique ou des bâtonnets, du ruban adhésif, de la colle, de la peinture, du papier de soie, de la ficelle, une boîte à œufs et des ciseaux

1 Regarde-toi dans un miroir et mesure avec précision la distance séparant tes yeux. Reporte ces points vers le milieu de l'assiette en papier.

1

2

2 À l'aide d'un crayon, fais les trous pour les yeux à l'endroit des points.

3 Attache l'élastique pour que tu puisses passer la tête.

3

4 Peins le visage : gai, triste, amusant ou féroce, selon ton humeur.

4

Les assiettes en papier

Le joli tournesol

Ce joli masque très vraisemblable est facile à réaliser. Commence par peindre l'assiette d'un jaune vif. Fais les trous pour les yeux et entoure-les de vert. Découpe les pétales dans du papier de soie jaune et orange, puis colle-les de chaque côté de l'assiette pour qu'ils donnent l'impression de se chevaucher. Termine par un sourire fleuri.

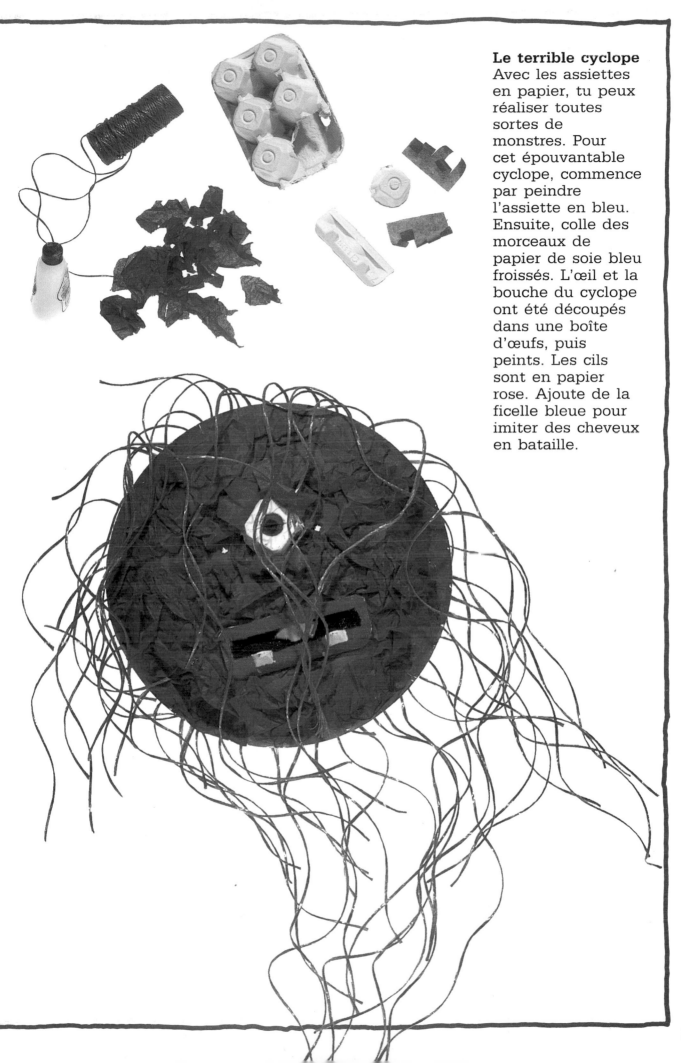

Le terrible cyclope
Avec les assiettes
en papier, tu peux
réaliser toutes
sortes de
monstres. Pour
cet épouvantable
cyclope, commence
par peindre
l'assiette en bleu.
Ensuite, colle des
morceaux de
papier de soie bleu
froissés. L'œil et la
bouche du cyclope
ont été découpés
dans une boîte
d'œufs, puis
peints. Les cils
sont en papier
rose. Ajoute de la
ficelle bleue pour
imiter des cheveux
en bataille.

Les sacs en papier

Ils sont excellents pour créer des masques et coiffures du plus bel effet. Que le sac soit uni ou non n'a pas d'importance. La peinture doit recouvrir tous les motifs et défauts. Assure-toi seulement que ta tête rentre dans le sac!

ATTENTION: n'utilise pas de sacs en plastique. Ils sont extrêmement dangereux.

1

Aigle

Matériel
Un sac en papier avec fond, des ciseaux, de la peinture et un pinceau

1 Raplatis le sac en rentrant le fond vers l'intérieur. Dessine les contours.

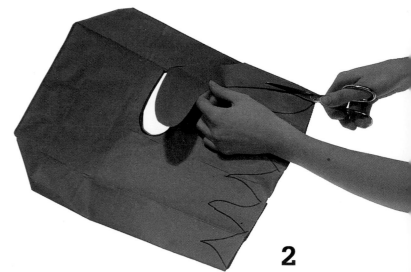

2

2 Découpe la partie séparant le bec des plumes, comme indiqué.

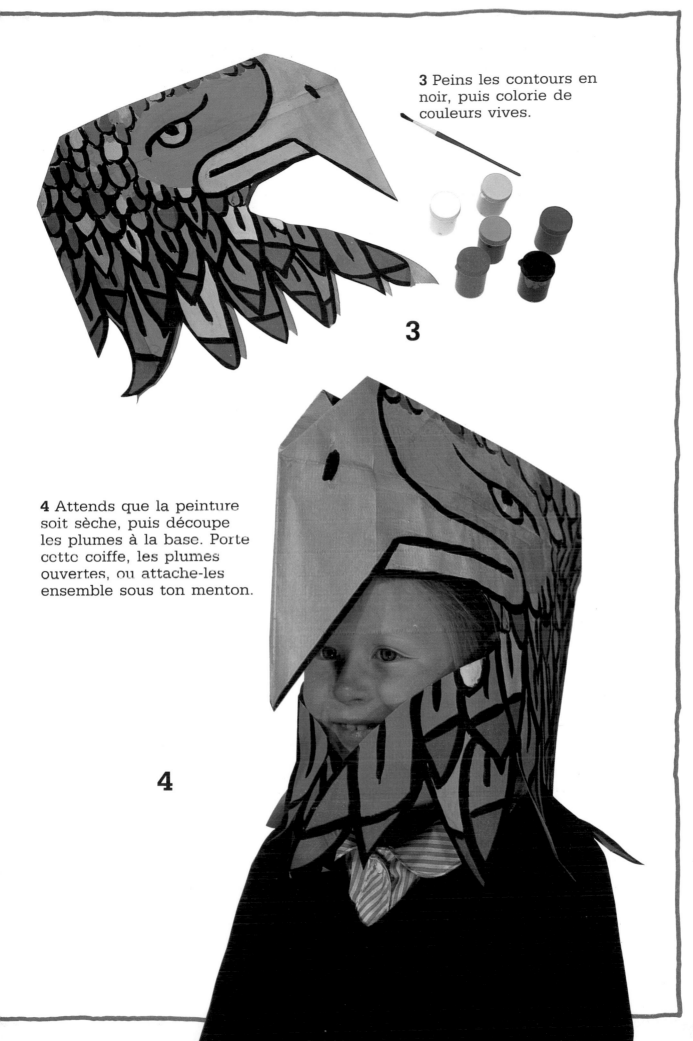

3 Peins les contours en noir, puis colorie de couleurs vives.

3

4 Attends que la peinture soit sèche, puis découpe les plumes à la base. Porte cette coiffe, les plumes ouvertes, ou attache-les ensemble sous ton menton.

4

Les sacs en papier

Le coq
Le masque du coq est fait
comme celui de l'aigle.
Une fois encore, le fond
du sac servira de bec.

Matériel
Un sac en papier avec
fond, un carton orange,
de la colle, des ciseaux,
de la peinture et un
pinceau

1

1 Dessine les contours et
découpe l'espace séparant
le bec des plumes.
Découpe des formes dans
le carton orange,
comme indiqué.

2

2 Colle la crête du coq à
l'intérieur du fond du sac
replié, et colle les autres
formes sur les côtés. Enfin,
peins le coq en soulignant
bien les yeux et le bec.

24

La grenouille

Le masque de la grenouille a des yeux proéminents et une longue langue bouclée pour attraper les mouches!

Matériel

Un sac en papier avec fond, du papier de soie rose, un morceau de fil métallique, de la peinture et un pinceau

1

1 Dessine puis découpe la bouche et le cou. Découpe comme indiqué le fond du sac. Replie le fond de chaque côté de ces coupures pour former les yeux.

2

2 Place le fil métallique entre les bandes de papier rose pour former la langue. Courbe-la et colle-la en place. Peins la grenouille, en soulignant les yeux.

Monsieur robot

Les masques à trois dimensions recouvrant entièrement la tête sont passionnants. Ce robot est fait à partir d'une très grande boîte en carton. Il a des trous pour que tu puisses entrer la tête et les épaules, mais une boîte ne couvrant que la tête convient également. Pour rendre ce robot plus spectaculaire, découvre à la page 28 comment lui faire des yeux lumineux.

Matériel
Une boîte en carton, des assiettes en papier, un rouleau vide de papier hygiénique, une petite boîte rectangulaire, du papier d'aluminium, du ruban adhésif et un morceau de fil métallique

1

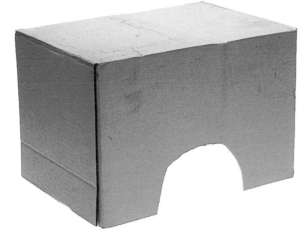

1 Si la boîte est très grande, découpe des trous pour les bras sur les côtés, comme indiqué.

2 Recouvre-la de papier d'aluminium. Colles-en les bords avec du ruban adhésif.

2

3 Découpe les yeux et le nez dans le rouleau de papier hygiénique. Prends la petite boîte pour la bouche. Découpe les oreilles dans des assiettes en papier. Colle le tout sur la boîte.

3

4

4 Pour l'antenne, recouvre une assiette en papier d'aluminium. Enfonce une extrémité de fil métallique dans l'assiette et enroule le reste dans une bande de papier d'aluminium. Enfonce le tout au haut de la boîte.

Le robot aux yeux brillants

Matériel
Du fil électrique :
un long morceau (A),
deux morceaux deux
fois plus petits (B, C),
un petit morceau (D) ;
deux trombones,
deux petites ampoules,
deux petites piles
et du ruban
adhésif

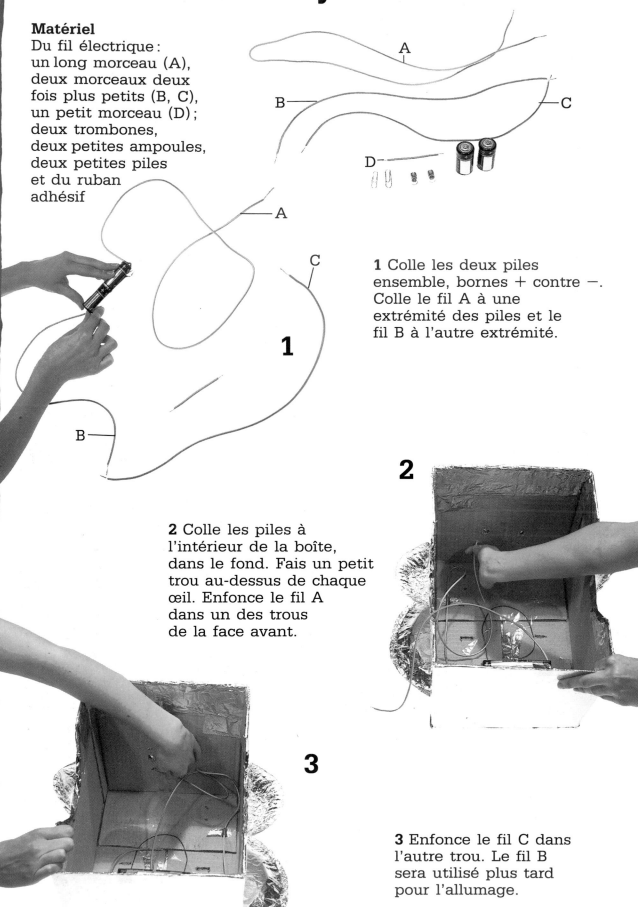

1 Colle les deux piles
ensemble, bornes + contre −.
Colle le fil A à une
extrémité des piles et le
fil B à l'autre extrémité.

2 Colle les piles à
l'intérieur de la boîte,
dans le fond. Fais un petit
trou au-dessus de chaque
œil. Enfonce le fil A
dans un des trous
de la face avant.

3 Enfonce le fil C dans
l'autre trou. Le fil B
sera utilisé plus tard
pour l'allumage.

4 Fais un petit trou au-dessus des tubes des yeux. Enfonces-y les petites ampoules de manière à ce que le sommet de celles-ci reste au-dessus des yeux et le verre à l'intérieur. Colle le fil A autour du sommet d'une ampoule, et le fil C autour du sommet de l'autre. Attache le fil D pour relier les sommets des ampoules.

4

B

C   D   A

C

5

5 Pour que les yeux s'allument, prends les extrémités des fils B et C et attache un trombone à chaque. Lorsque ceux-ci se toucheront, les yeux s'allumeront. Si cela ne se produit pas du premier coup, vérifie que toutes les connexions sont correctes.

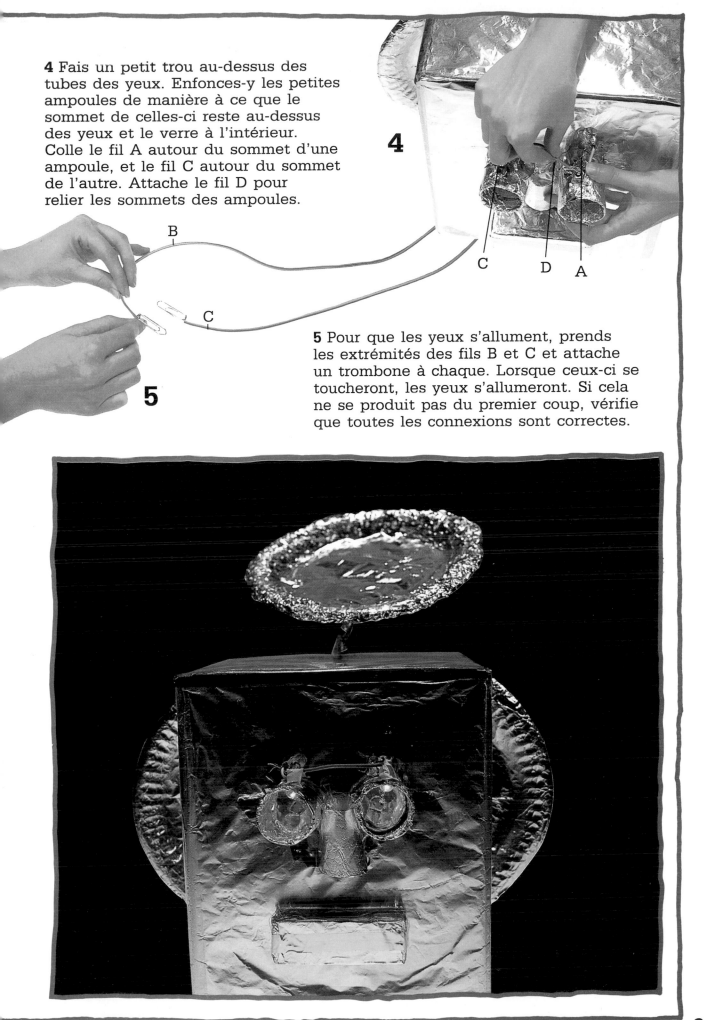

Les masques en papier mâché

Le papier mâché s'obtient en trempant des bandes de papier dans une pâte (farine et eau) et en les plaçant sur une forme. C'est amusant, mais salissant.
Avant de commencer, couvre ta surface de travail (et tes vêtements). Voici comment réaliser la base du masque que tu peux transformer en souris ou en éléphant.

Matériel
De la farine, de l'eau, un bol pour mélanger, une cuiller, des morceaux de papier journal, un ballon et un petit bol en plastique

1

1 Mélange de la farine à de l'eau pour faire une pâte épaisse et crémeuse.

2

2 Pose un grand ballon sur un bol en plastique pour qu'il reste stable. Trempe le papier journal dans la pâte et couvres-en le ballon.

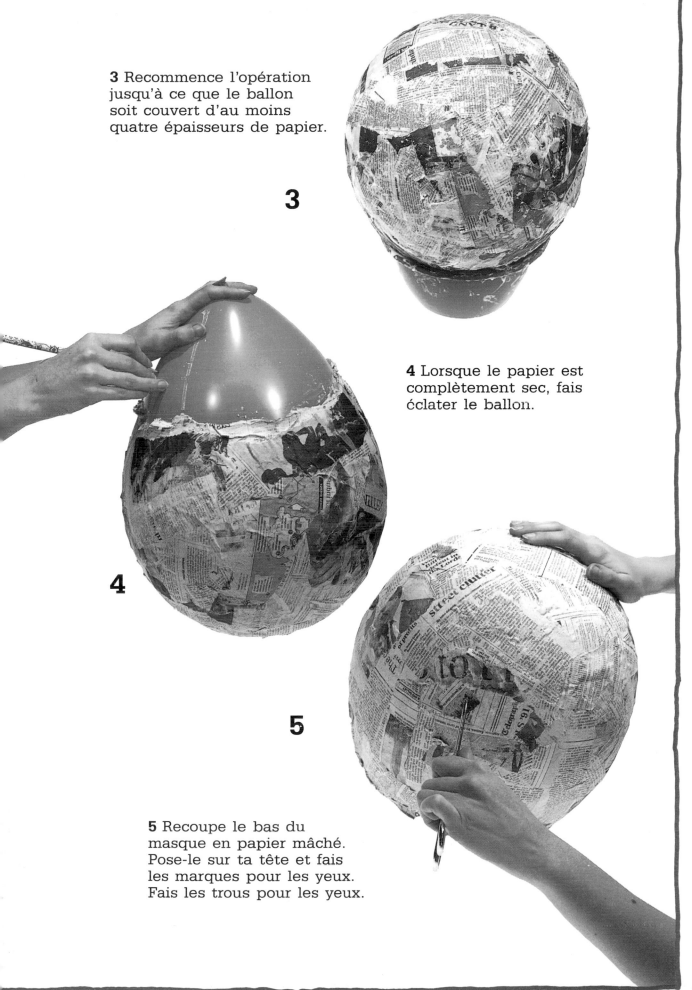

3 Recommence l'opération jusqu'à ce que le ballon soit couvert d'au moins quatre épaisseurs de papier.

3

4 Lorsque le papier est complètement sec, fais éclater le ballon.

4

5

5 Recoupe le bas du masque en papier mâché. Pose-le sur ta tête et fais les marques pour les yeux. Fais les trous pour les yeux.

Les masques en papier mâché

Matériel
Du carton brun,
du papier rose,
deux bandes de carton,
du papier blanc,
une boîte à œufs,
des ciseaux, de la colle,
de la peinture et un
pinceau

La souris
Peins la base du masque
en papier mâché, comme
indiqué. Colle des carrés
de papier blanc pour les
dents. Le nez est un
morceau de boîte à œufs.

Fais les moustaches en
tordant des rouleaux de
papier blanc.

Pour les oreilles
recourbées, fais une petite
entaille à la base de
chaque oreille. Fais se
chevaucher les deux
parties et colle.
Couvre chaque oreille
avec des formes en papier
rose. Colle ces éléments
à la souris.

De la laine, du papier de soie gris, deux bandes de carton, quatre pots de yaourt, (du savon liquide facilitera l'adhésion de la peinture sur les pots), de la ficelle, de la colle, du ruban adhésif, des ciseaux, de la peinture et un pinceau

L'éléphant

Peins la base de ton masque. Une fois sec, colle des cheveux et des cils en laine. Fais des oreilles avec le papier de soie. Renforce-les au sommet par une bande de carton. Pour la trompe, enfile quatre pots de yaourt peints sur un morceau de ficelle, comme indiqué. Ajoute les oreilles et la trompe.

Les accessoires

Il n'est pas nécessaire de porter un masque complet pour changer de personnage. Il peut être amusant de porter des accessoires variés pour ton visage. Tu peux les mélanger pour créer des déguisements mystérieux et merveilleux. Ces accessoires se portent attachés à un cercle en carton qui correspond à ton tour de tête.

Pour chaque accessoire, tu auras besoin d'un cercle en carton pour la tête. Coupe un morceau de ficelle de la circonférence de ta tête. Base-toi dessus pour la longueur du carton.

Les oreilles de la souris
Fais les oreilles comme indiqué à la page 32 et colle-les à la bande de carton à l'aide d'un ruban à double face adhésive.

Le pharaon

Ce pharaon est réalisé en un seul morceau de carton joliment peint. N'oublie pas de prévoir des trous pour les yeux.

Le clown

Le chapeau du clown et les lunettes sont attachés à la tête par deux bandes de carton séparées.

Le pirate

Voici un chapeau de pirate et un bandeau amusants, faciles et rapides à réaliser.

Des têtes de salades

Les salades font de délicieux repas en été.
Encore des visages, mais cette fois à déguster !
Prépare-les avec un peu d'imagination, et elles
seront absolument tentantes, même lors
d'une fête. Varie les ingrédients à chaque
préparation. Céleri, pomme, raisins secs et chou
blanc changent de la laitue et de la tomate.
Essaie des sauces pour salades : du yaourt ou de
la mayonnaise mélangés à d'autres ingrédients.
Dans les pages suivantes, tu trouveras d'autres
idées à déguster.

Ingrédients et matériel
Des fruits et légumes
de première fraîcheur :
prunes, oranges ou
bananes (essaie les
mangues, les kiwis et
les caramboles), laitue
(il en existe plusieurs
variétés), tomates,
poivrons, jeunes oignons,
une planche à hacher,
un couteau bien
aiguisé, deux assiettes

1

1 Lave et sèche les
fruits et légumes. Pour
la laitue, enlève d'abord
les feuilles extérieures
et sépare les autres.
Lave-les à l'eau froide
et essore le tout dans
une serviette.

2 Coupe les fruits pour former un visage. Place une serviette humide sous la planche à hacher pour éviter qu'elle glisse. Sers-toi d'un petit couteau.

2

Le visage fruité

3 Nous avons utilisé du fromage et un radis pour le nez de l'homme vert, des tranches d'œuf cuit dur et des olives pour les yeux, et du fromage pour les cheveux.
Tu pourrais également mettre des « boucles » de jambon pour les cheveux.

3

L'homme vert

1 Tamise la farine dans un bol pour mélanger. Ajoute la levure chimique, le gingembre en poudre et le bicarbonate de soude.

1

2

Ingrédients et matériel
225 g de farine,
1 c. à café de levure chimique,
2 c. à café de gingembre en poudre,
1/2 c. à café de bicarbonate de soude,
75 g de beurre,
75 g de cassonade,
2 c. à soupe de sirop de sucre,
un bol pour mélanger,
un poêlon,
une cuiller en bois,
un rouleau à pâtisserie,
un couteau bien aiguisé ou des formes,
une palette et une plaque de cuisson

2 Fais fondre à feu doux le beurre, le sucre et le sirop de sucre dans un poêlon et verse le tout dans le mélange de farine.

Les bonshommes en pain d'épice

Les bonshommes en pain d'épice sont populaires depuis des siècles. En Angleterre, on a même écrit des histoires à leur sujet. Ainsi, par exemple, la vieille histoire du petit bonhomme qui s'échappe du fourneau en criant :

Cours, cours aussi vite que tu peux.
Je suis en pain d'épice. Tu ne pourras m'attraper !
Voici comment réaliser 20 motifs en pain d'épice.

3 Mélange les ingrédients dans un bol à l'aide d'une cuiller en bois pour former une pâte. Place-la sur une surface légèrement enfarinée et pétris-la un peu. Roule-la pour obtenir une épaisseur de 1/2 cm.

3

4

4 Découpe des motifs dans le pain d'épice. Place-les sur une plaque de cuisson graissée, puis enfourne dans le four préchauffé (200°C, 400°F, gaz : position 6). Cuisson : 10 à 15 minutes.

Les biscuits glacés

Les yeux et boutons des bonshommes traditionnels sont en raisins de Corinthe. On les ajoute avant la cuisson. Décore tes motifs d'un glaçage. Après la cuisson, laisse tiédir et durcir les biscuits, puis place-les sur une grille pour qu'ils refroidissent et soient croustillants. Ils sont prêts à être décorés.

Réalisation du glaçage

1 Pour chaque couleur, tamise 50 g de sucre glace dans un bol, ajoute 2 c. à café d'eau (ou de jus de fruit). Mélange. Ajoute du liquide ou du sucre glace selon la consistance désirée.
2 Ajoute une ou deux gouttes de colorant alimentaire et mélange bien. Sers-toi d'un couteau pour décorer tes motifs. De temps à autre, trempe-le dans de l'eau chaude pour que le glaçage s'étende bien. Ajoute les autres décorations tant que le glaçage est liquide afin qu'elles collent.

1

Ingrédients et matériel

Du sucre glace, de l'eau chaude, du colorant alimentaire, des décorations : des cerises confites, des granulés colorés, des granulés en chocolat, de l'angélique confite, un tamis, un bol pour mélanger, une cuiller et un couteau

2

Le papillon

Le poisson

La voiture

La coccinelle

Le chien

Le lapin

Le bonhomme

41

2

3

4

5

1

1 Verse le lait dans un bol. Ajoute lentement quelques gouttes d'essence de menthe et de colorant vert.
2 Tamise le sucre glace dans le bol et mélange jusqu'à obtention d'une pâte assez dure.
3 Saupoudre ta planche d'un peu de farine pour empêcher la pâte de coller. Place-la sur la planche et pétris-la jusqu'à ce qu'elle soit lisse.
4 Roule la pâte pour obtenir une épaisseur d'environ 1/2 cm.
5 Découpe des petits ronds de 2 cm de diamètre.
6 Plonge-les dans du chocolat. Lorsque les bonbons sont secs, enveloppe-les dans du papier d'aluminium.

Ingrédients
50 ml de lait concentré sucré, de l'essence de menthe, du colorant alimentaire vert, 200 g de sucre glace et de la farine de maïs

6

Les bonbons à la menthe

Faire des bonbons est l'un des aspects les plus intéressants de la cuisine. C'est amusant, facile et les résultats sont délicieux. Les bonbons sont d'excellents cadeaux pour Noël et les fêtes d'anniversaire. Pour les offrir, décore une boîte, garnis-la de napperons en dentelle de papier et dispose du papier parcheminé entre les couches de bonbons. Voici une recette à base de menthe. Tu peux la réaliser avec du citron : utilise de l'essence de citron et du colorant jaune.

1 Divise le massepain en douze parts. Roule-les en forme d'oranges, pommes, citrons (pince les extrémités), poires et bananes miniatures.

2 Frotte délicatement les oranges et citrons sur une râpe pour imiter la peau grumeleuse des pelures. Fais un creux pour placer un raisin sec ou un clou de girofle en guise de queue.

3 Les colorants alimentaires en feront des fruits aussi vrais que nature !

Les fruits en massepain
50 g de massepain,
des colorants alimentaires,
des raisins secs ou
des clous de girofle

Des régals en massepain

Voici comment réaliser des fruits en massepain. Tu peux également réaliser d'autres bonbons colorés. Pour cela, divise le massepain en trois. Travaille deux des morceaux avec différents colorants alimentaires, une goutte à la fois. Aplatis chaque morceau au rouleau, puis assemble les trois parties. Roule le sandwich ainsi obtenu en forme de saucisse, puis coupe des tranches pour faire plusieurs bonbons.

1

1 Humidifie la base de l'œuf. Tout en divertissant ton public, tourne doucement l'œuf dans du sel dissimulé dans ta main.

L'œuf docile

Cet œuf n'est pas à manger. Il te permettra d'amuser tes amis grâce à un tour très simple mais combien efficace. Demande à quelques volontaires de placer un œuf en équilibre sur sa base. Après avoir constaté leur échec, prononce quelques mots magiques et l'œuf tiendra bien droit !

Le secret du tour

Le tour consiste à enduire la base de l'œuf d'un peu de sel. Au lieu de rouler, comme il l'a fait avec les membres du public, l'œuf restera parfaitement debout.

2 Prononce tes mots magiques, puis pose l'œuf sur la table. Le tour est joué : l'œuf tient tout seul, sans tomber !

2

Préliminaires

Fais dissoudre un peu de sel marin dans un verre d'eau chaude. Place-le près d'un verre contenant de l'eau ordinaire. Attention de te rappeler lequel est le bon!

Œufs...rêka!

Dans ce numéro, deux œufs identiques vont se comporter de manière totalement différente. L'un coule au fond d'un verre d'eau alors que l'autre flotte!

Le secret du tour

Bien qu'il ressemble exactement au premier verre, le second contient une solution de sel marin qui permet à l'œuf de flotter.

1 Demande à un spectateur de choisir un des deux œufs que tu lui présentes. Prédis lequel va couler et lequel va flotter.

2 Dépose précautionneusement les œufs dans les verres ad hoc. Les applaudissements devraient retentir!

1   **2**

Jeux de mains...

Dans ce numéro, tu accomplis l'exploit de faire passer une pièce de monnaie au travers de ta main !

Le secret du tour

Il s'agit ici d'un tour de passe-passe, c'est-à-dire de mouvements de mains que le public ne perçoit pas. Par conséquent, pendant que l'audience te croit faire une chose, tu es en réalité en train d'en faire une autre. Ces tours de prestidigitation sont très utiles en magie, mais pour que tout aille bien, tes mouvements doivent être souples et naturels.

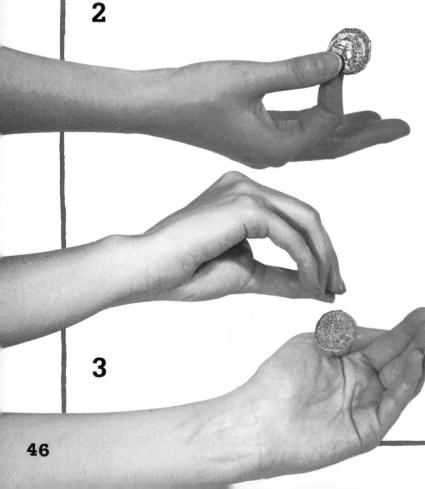

1

1 Après avoir montré aux spectateurs que ta main gauche est vide, essaie de faire passer une pièce au travers.

2

2 D'un air intrigué, ouvre tes mains et fais constater par ton public que cela n'a pas marché. Essaie encore une fois.

3

3 C'est alors qu'intervient le tour de passe-passe. Avant de refermer ta main gauche, places-y discrètement la pièce qui se cache dans la droite.

4 Regarde le public tout en parlant. Cela permet de détourner son attention. Aussitôt que la pièce est dans ta paume gauche, referme rapidement ta main.

5 Fais comme si la pièce était toujours dans ta main droite et essaie à nouveau de la faire passer au travers de ta main gauche.

6 Montre maintenant au public que ta main droite est vide et ouvre la gauche. La pièce s'y trouve. Elle a donc dû passer au travers !

Préliminaires
Garnis une boîte en
carton de matériaux
mous qui serviront à
amortir le bruit du verre
lorsqu'il tombera.
Place-la juste derrière
ta table.

1

1 Dis au public que tu
vas faire disparaître une
pièce à l'aide d'un verre
que tu couvres de
papier car l'opération
doit rester secrète.

Le verre qui disparaît

Dans ce numéro, préviens ton public que tu
vas faire disparaître une pièce de monnaie
dans un verre. Or, assez mystérieusement, la
pièce reste là. C'est le verre qui disparaît sous
les yeux ébahis des spectateurs!

Le secret du tour
Ici, il s'agit de bien convaincre le public que le
verre est toujours sous le morceau de papier,
alors qu'en fait, tu l'as adroitement fait tomber
dans une boîte derrière ta table. La pièce est
là uniquement pour détourner l'attention du
public. C'est ce qu'on appelle de la diversion.

4

4 Tiens le papier de sorte que le public croie que le verre s'y trouve toujours et demande-toi tout haut si tu n'aurais pas plus de succès avec le verre. Encore quelques mots magiques... et tu pourras aplatir le papier triomphalement !

3

3 Recommence l'opération, mais cette fois, lorsqu'en même temps que le public tu regardes si la pièce a disparu, déplace discrètement le verre vers toi et laisse-le tomber dans la caisse en carton tout en soutenant le papier.

2 Place le verre sur la pièce et prononce quelques mots magiques. Soulève le verre et constate avec étonnement que la pièce est toujours là.

2

La corde magique

Ce numéro est un peu plus complexe, mais il mérite d'être tenté car tes spectateurs en resteront abasourdis. Grâce à quelques mots magiques, un foulard et des anneaux vont passer au travers d'une corde.

Le secret du tour

À l'insu de tes spectateurs, prépare les cordes de telle sorte qu'ils n'en voient qu'une seule.

Préliminaires

Noue deux cordes au milieu avec un petit bout de fil.

1

1 Demande à deux volontaires de tirer sur les cordes. En même temps, dissimule le fil.

2

2 Demande-leur d'examiner les anneaux et le foulard. Prépare discrètement les cordes comme indiqué.

3

3 Noue le foulard au milieu pour cacher le fil. Demande aux volontaires d'enfiler les anneaux par les extrémités des cordes.

4 Sans le savoir, les volontaires tiennent chacun les deux extrémités d'une seule et même corde. Lie deux des extrémités ensemble.

4

50

5

5 Demande maintenant
aux volontaires de tirer
fort. Le fil secret va
rompre et les anneaux
et le foulard vont voler
en l'air comme par magie!

Des noms de célébrités

Tes spectateurs n'en reviendront pas : tu vas lire leurs pensées et prédire avec exactitude le nom de la célébrité de leur choix.

Le secret du tour

Toute l'astuce de ce tour consiste à convaincre ton audience que tu fais une chose alors que tu es en train d'en faire une autre. Tu auras à recourir aux techniques de diversion afin qu'ils ne devinent pas ton truc.

1 Demande au public de citer des noms de personnages célèbres. Sur diverses cartes, écris uniquement le premier. Demande aux spectateurs d'épeler les différents noms : ils croieront que tu les écris tous.

1

2

2 Écris encore une fois le premier nom cité et mets la carte dans une enveloppe cachetée.

3 Plie les autres cartes et mélange-les dans une boîte. Demande à un volontaire d'en choisir une et de la lire.

3

4 Ouvre ton enveloppe et montre à chacun que le nom est le même !

4

52

Préliminaires

Prends une boîte à couvercle et décore-la en fonction de ton histoire. Garnis-la d'ouate. Mets un peu de peinture rouge si tu parles d'un doigt récemment coupé.

1

1 Tiens la boîte en main en plaçant ton majeur dans le trou, puis raconte une histoire macabre.

2

Le doigt du pharaon

Dans ce numéro merveilleusement sinistre, tu vas montrer au public une boîte contenant un doigt humain momifié.

Le secret du tour

Ce tour est facile à réaliser. Il y a simplement un trou dans la boîte dans lequel tu passes ton doigt. Note qu'un bon jeu d'acteur et une bonne représentation parviendront à convaincre le public. Raconte comment tu as acquis la boîte : tu la tiens d'un grand oncle qui était archéologue en Égypte. Talque ton doigt, il n'en aura l'air que plus sinistre !

2 Étends le bras et soulève lentement le couvercle pour montrer le doigt. Tu peux inviter les membres du public à venir le toucher, après leur avoir dit combien il est froid et raide ! Replace la boîte dans un endroit sûr.

La séance de lévitation

Avec ce numéro exceptionnel, tu vas réaliser l'impossible. Aie recours à quelques mots magiques bien choisis et à ta bonne vieille baguette, et ton assistant se soulèvera du sol !

Le secret du tour

Il est clair que ton assistant ne va pas se soulever de terre totalement. L'audience ne voit pas qu'il bouge sous le drap afin de simuler une lévitation. Ici, comme dans d'autres numéros, il suffit de donner une prestation sûre pour convaincre le public.

2 Place le drap en face de ton assistant et recouvre-le lentement. Pendant ce temps, il se tourne rapidement et discrètement sur le ventre, à l'insu des spectateurs.

1 Tu es un maître de la lévitation. Montre à tous que ton drap magique ne cache aucun appareillage spécial. Demande à ton partenaire de s'allonger sur le sol.

3 Demande le silence car l'étape suivante exige une intense concentration. Prononce ton baratin habituel en levant les mains au-dessus du corps de ton assistant.

3

5

4 À une réplique donnée, ton assistant soulève son corps lentement mais sûrement, comme sur la photo.

4

5 Pour davantage d'effet, il devrait essayer de maintenir son corps en ligne droite. Puisque les spectateurs pensent qu'il est sur le dos, ils seront renversés par le spectacle !

Le coup du sabre

Dans ce numéro très populaire, tu places ton assistante dans une boîte dans laquelle tu plantes plusieurs sabres. Malgré ses gémissements et lamentations, elle va en ressortir miraculeusement indemne.

Le secret du tour

La réussite de ce tour dépend de deux faits ignorés du public. D'abord, l'assistante n'est pas assise dans la position qu'ils croient et ensuite, des ouvertures ont été pratiquées à l'avance pour les sabres. Cela demande beaucoup de travail, mais plus tu raffineras la préparation de ce tour et plus le public sera étonné.

Préliminaires

Décore une grande boîte en carton pour y loger ton assistante. Alors qu'elle regarde vers l'extérieur, fais des trous avec précaution pour que les sabres en carton entourent son corps.

1 Montre l'intérieur de
la boîte aux spectateurs
avant que ton assistante
s'y assoie en regardant
vers l'arrière de la boîte.
Tourne la boîte. Pendant
ce temps, ton assistante
se met dans la position
convenue. Commence à
enfoncer les sabres dans
les trous.

2 Si ton assistante était
restée dans la position
de départ, les sabres lui
pénètreraient le corps.
En réalité, elle facilite le
passage des sabres.

Final
Quand ton assistante
aura fini de gémir, retire
les sabres un par un.
Elle peut alors sortir
saine et sauve de la
boîte, sous les applau-
dissements du public!

Le ruban magique

Ce numéro va littéralement désorienter tes spectateurs. Coupe un ruban en deux. Grâce à ta baguette magique, tu parviendras à convertir les deux parties en une seule.

Le secret du tour

L'astuce de ce numéro est que tu as dissimulé quelque chose en haut de ta manche ! En fait, il y a réellement deux morceaux de ruban. Le ruban coupé disparaît sans problème dans ta manche, laissant ainsi le ruban complet sous les yeux stupéfaits des spectateurs.

Préliminaires

Prends un morceau d'élastique. Attache-le à un fil que tu attacheras à son tour à une boucle de ruban. L'élastique doit être tendu. Prends un autre ruban et ferme ta main. De la sorte, on croira que tu ne tiens qu'une seule boucle.

1 Prends des ciseaux et coupe la boucle.

1

2

2 Invite deux membres du public à venir vérifier que le ruban a bien été coupé. Demande à chacun de tenir un long morceau. Sans le savoir, ils tiennent en réalité les extrémités du ruban non coupé.

3

3 Demande-leur de tirer sur le ruban. À ce moment, étends la main de sorte que les pièces découpées disparaissent en haut de ta manche. Tes assistants tiendront en main un seul morceau de ruban.

59

Point t'y es !

De nombreux tours de cartes consistent à identifier de façon mystérieuse une carte qu'un membre du public a choisie. Dans chaque cas, la présentation et les méthodes utilisées sont différentes. Ainsi le public verra une grande variété de tours intrigants. En voici un parmi les plus simples.

Le secret du tour
Il suffit de dessiner un trait de crayon sur le côté du jeu de cartes. Il ne sera pas remarqué par le public et il te permettra d'identifier la carte choisie.

Préliminaires
Dessine un trait de crayon sur le côté du jeu de cartes comme indiqué. Utilise un crayon gras dont les marques sont faciles à effacer.

1 Demande à un spectateur de choisir une carte sans te la montrer.

1

2 Dis au spectateur de mémoriser la carte et de la replacer n'importe où dans le jeu.

2

3 Tout en parlant au public, jette un coup d'œil aux cartes. La carte choisie se reconnaît au petit point de crayon qu'elle a sur le côté.

3

4 Sors la carte choisie et montre-la aux spectateurs.

4

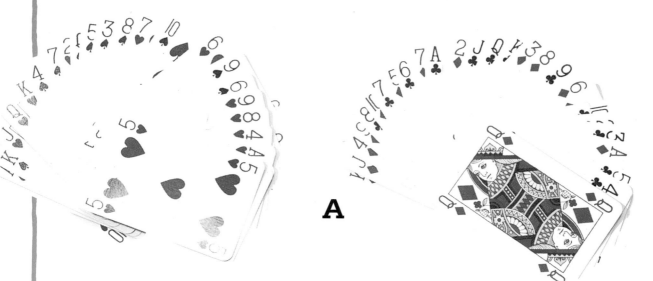

A

Le truc du troc

Dans ce tour, tu étonnes le public une fois de
plus en identifiant la carte choisie par un
spectateur et replacée au hasard dans le jeu.

Le secret du tour
Ce que le public ignore, c'est que tu as
soigneusement préparé le jeu à l'avance, de
sorte que la remise en place de la carte n'est
pas aussi hasardeuse qu'il n'y paraît.

Préliminaires (A)
Coupe le jeu en deux.
Une moitié contient les
cœurs et les piques,
l'autre contient les
trèfles et les carreaux.
Le public ne remarquera
pas cet arrangement
puisque les cartes
rouges et noires seront
mélangées.

B

1

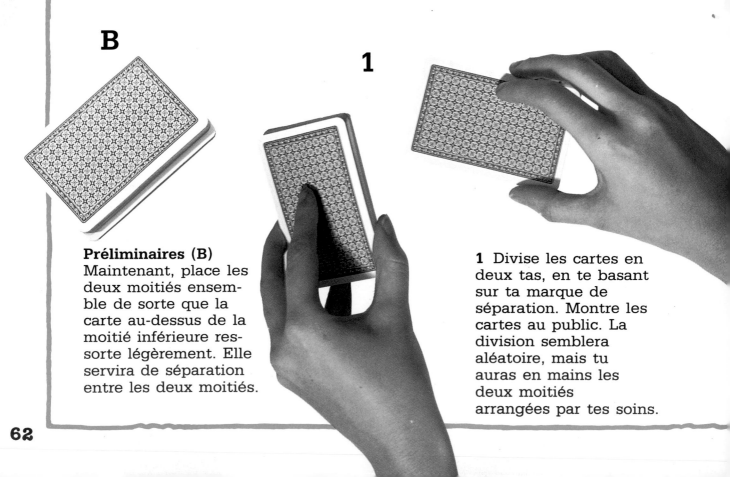

Préliminaires (B)
Maintenant, place les
deux moitiés ensem-
ble de sorte que la
carte au-dessus de la
moitié inférieure res-
sorte légèrement. Elle
servira de séparation
entre les deux moitiés.

1 Divise les cartes en
deux tas, en te basant
sur ta marque de
séparation. Montre les
cartes au public. La
division semblera
aléatoire, mais tu
auras en mains les
deux moitiés
arrangées par tes soins.

2

2 Demande à un volontaire de choisir une carte au hasard dans l'une des moitiés du jeu. Sur la photo, les cartes sont visibles, mais il est clair que le magicien ne doit pas voir la carte choisie.

3

3 Demande-lui de montrer la carte au public et de la remettre ensuite dans la seconde moitié du jeu.

4

4 Déploie le jeu et choisis. La carte choisie par le volontaire t'apparaîtra directement puisque c'est la seule de la série.

Astuce-yeux

Voici une autre façon d'identifier une carte choisie et replacée dans le jeu par un membre du public. Dès que tu auras mis au point cette méthode, tu pourras l'utiliser pour créer tes propres tours de cartes.

Le secret du tour

Ici, l'astuce consiste à jeter adroitement un coup d'œil furtif à la dernière carte du jeu pendant que l'attention des spectateurs est attirée ailleurs. En arrangeant les cartes de façon particulière, ce petit coup d'œil te permet d'identifier la carte choisie.

1

1 Demande à une personne du public de choisir une carte dans le jeu. Dans notre exemple, c'est le V(J)♥.

2 Dis-lui de la mémoriser et de la montrer au public. Tant que l'attention du public est attirée par la carte, jette un bref coup d'œil à la dernière carte du jeu, dans notre exemple : le R(K)♠.

2

3

3 Demande au volontaire de remettre la carte au-dessus du paquet, face cachée.

4 Tout en parlant, coupe le paquet au hasard.

4

5 Tapote les cartes en disant quelques mots magiques, puis cherche dans le jeu. La carte du spectateur sera juste en dessous de la carte que tu as pu apercevoir subrepticement.

5

A

Préliminaires (A)
Répète ton histoire
afin de donner une
bonne représenta-
tion. Sors du jeu
les Rois rouges, les
Dames noires, les
Valets rouges et
un 10.

La maison en feu

Ce tour est très amusant à réaliser. Il est basé
sur une histoire que tu racontes avec les cartes.
Les membres d'une famille royale échappent
à un incendie et se retrouvent miraculeusement
au fond du paquet alors qu'ils se trouvaient au milieu.

Le secret du tour

Ce tour est basé sur une petite préparation du
jeu de cartes avant l'arrivée des spectateurs.

1 Explique que ton jeu
de cartes est la maison
du Roi. Celui-ci habite
dans la partie
supérieure du bâtiment.
Place le R(K)♥ près du
sommet du paquet.

1

B

Préliminaires (B)
Place dans l'ordre le
R(K)♦, la D(Q)♠ et le
V(J)♥ au-dessous du
paquet. Tu te serviras
des cartes restantes
pour raconter ton
histoire.

2 La Dame vit à l'étage d'en dessous. Place la D(Q)♣ un peu plus bas.

2

3 Le Valet habite un étage en dessous de la Dame. Place le V(J)♦ près de la fin du paquet.

3

4 La servante, le 10♠, habite au rez-de-chaussée. Place cette carte au-dessous du paquet. Maintenant, dis qu'un feu vient de se déclarer dans la maison.

4

5 Par chance, il y a une sortie de secours et toute la famille a pu rejoindre la rue. Retourne les cartes qui se trouvent au-dessous du jeu. Ton public sera épaté !

5

1 Fais un éventail avec les cartes et invite un spectateur à venir en choisir une.

1

2

2 Dis-lui de la poser face cachée sur le dessus du paquet. Maintenant, réalise une coupure truquée. Si tu regardes le public tout en lui parlant, il ne verra pas ce que tes mains sont en train de faire.

La coupure truquée

3 Les quatre étapes qui suivent t'aideront à réaliser une coupure truquée. Tiens le paquet des deux mains, les doigts de la gauche agrippant fermement la carte supérieure.

4 Tout en maintenant la carte supérieure, coupe le jeu en deux et ôte la moitié supérieure - mais pas la carte supérieure.

3

4

La coupure truquée

Dans ce tour, un spectateur met la carte qu'il a choisie sur le dessus du jeu. Peu importe le nombre de fois que tu couperas le jeu, la carte réapparaîtra toujours au-dessus !

Le secret du tour

Tu manipules les cartes de telle façon que les coupures paraissent réelles, tout en laissant la carte au-dessus du tas. Tu devras beaucoup répéter pour être convaincant.

8 Retourne la carte supérieure. Ton public sera une fois de plus bien surpris !

7

8

7 Pose le paquet, tapote-le en disant quelques mots magiques.

5 Dans ta main gauche, la carte choisie sera toujours au-dessus du jeu.

6 Place les cartes de ta main droite sous celles de la main gauche. Tu peux répéter la coupure plusieurs fois. La carte choisie restera toujours au-dessus.

5

6

ABRACADABRA

Quelle que soit la finesse des spectateurs, ils ne devineront jamais comment tu as pu identifier la carte choisie par l'un d'eux.

Le secret du tour
Ce tour paraît aller de soi. En réalité, il est basé sur un arrangement numérique des cartes, mais tout magicien ferait bien de se souvenir des quelques étapes simples qui suivent.

2

2 Demande à un spectateur de choisir un groupe de cartes et de mémoriser une des cartes qui s'y trouvent. Il ne doit pas te révéler laquelle.

1

1 Prends 21 cartes et étale-les en alternant 3 groupes de 7 cartes.

3 Dis-lui de replacer le groupe de cartes sur la table.

4 Rassemble les trois groupes, en veillant à mettre le groupe choisi au milieu.

4

5 Répète encore les étapes 1 à 4 deux fois, en prenant soin de rassembler les cartes de sorte que le groupe choisi reste toujours bien au milieu.

5

6 Il y a 11 lettres dans «abracadabra». Demande au public de crier chacune des lettres lorsque tu retourneras les cartes. La onzième sera la bonne!

6

Le séducteur dansant

Le séducteur dansant est un jouet sous forme de marionnette et non une marionnette de théâtre. Il est amusant à fabriquer et c'est une bonne idée de cadeau. Une fois que tu auras maîtrisé sa technique d'élaboration, tu pourras l'appliquer à d'autres jouets dansants, comme par exemple une ballerine ou un clown. Décalque le séducteur dansant à partir des images reproduites ici ou réalise ton propre modèle.

Tu auras besoin de carton, de ficelle, d'attaches parisiennes, de papier collant ou de colle forte, de peinture ou de crayons-feutres pour décorer.

Comment actionner le séducteur
Tiens la ficelle au sommet et à la base de la marionnette. Tire-la doucement puis relâche pour faire bouger bras et jambes de l'intérieur vers l'extérieur.

1 Dessine les contours du modèle sur du carton fin et découpe prudemment. Colorie et pratique des trous pour introduire la ficelle et les attaches parisiennes comme indiqué.

2 Assemble les parties du séducteur avec des attaches, en t'assurant que bras et jambes peuvent bouger librement.

3 Utilise une ficelle fine pour relier les bras et les jambes.

4 Attache une ficelle à la tête. Lorsque les bras et les jambes sont en position d'extension, ajoute un autre bout de ficelle pour relier les bras aux jambes.

Le singe articulé

Tout comme le séducteur dansant, ce singe articulé est un jouet. Sa conception est assez simple et pourtant, ses acrobaties relèvent de l'exploit. Si tu réalises un singe de ton invention, ses bras doivent être plus longs que son corps.

Tu auras besoin de carton, de deux bâtonnets, de ficelle, d'une attache parisienne, de colle, de deux morceaux de paille, de peinture ou de crayons-feutres pour décorer.

Comment actionner le singe

Prends un bâton dans chaque main. Éloignes-en les extrémités supérieures et le singe se balancera. Lorsqu'il atteindra le sommet de sa course, rapproche doucement les bâtons et il redescendra. Répète ce mouvement et le singe balancera dans l'autre sens.

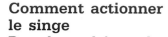

2 Assemble les jambes au corps avec des attaches parisiennes. Sectionne un morceau de paille et colle-le à l'un des bras.

1

2

3

3 Enfonce la paille dans le trou au travers du corps, en t'assurant que le bras peut pivoter librement.

1 Dessine les formes sur du carton, découpe et colorie. Fais des trous dans le corps, les jambes, les mains et les bras, comme indiqué.

5

4

4 Colle la paille à l'autre bras. Enfile une ficelle au travers des bras. Fais de même avec les mains, en collant également un morceau de paille.

5 Attache les ficelles aux deux bâtons. Elles doivent être croisées comme indiqué.

Les marionnettes en gants

Les marionnettes conçues à partir d'un gant sont faciles à réaliser et sont d'excellents acteurs. Elles sont capables de saisir des accessoires et de suggérer toute une série d'humeurs, simplement en se servant de leurs bras et mains. Tu n'auras pas à abîmer tes gants puisque tu pourras te servir d'une vieille chaussette pour la tête et le corps de la marionnette.

Tu auras besoin de gants, de vieilles chaussettes, de laine, de feutrine de couleur, de ficelle, de papier, de colle, de motifs adhésifs et de crayons-feutres.

Comment actionner ces marionnettes

Enfile un gant, puis passe ta main dans la chaussette. Ton index servira à bouger la tête, ton pouce et ton majeur serviront de bras. Ta marionnette peut saluer, frapper dans les mains, saisir des accessoires, etc.

Panda

Carlo le clown

Ce joli personnage de cirque est brillamment coloré. Son corps est bleu, ses cheveux verts et son chapeau jaune. Son gros nez rouge est une balle de ping-pong.

Nicolas en colère

Ce furieux personnage a l'air rude et fâché. Ses cheveux noirs en bataille sont maintenus par de la laque.

Julie la Rousse

Julie la Rousse doit son expression effrayée aux motifs adhésifs qui lui servent d'yeux et de bouche.

Julie la Rousse

Préliminaires
Tu auras besoin d'une chaussette et d'un gant roses pour le corps et les bras de Julie, de laine jaune pour les cheveux, de ficelle, de papier, de laine, de motifs adhésifs et de crayons-feutres de couleur.

1

1 Fais un trou dans la chaussette. Coupe plusieurs morceaux de laine et noue-les à une extrémité avec de la ficelle. Enfonce dans le trou les morceaux de laine par la partie nouée et lie un morceau de ficelle tout autour pour consolider.

2 Fais une boule de papier, en prenant soin d'y laisser un trou pour passer ton doigt. Mets la boule dans la chaussette et noue sans serrer avec de la laine.

2

3

3 Pour le visage de Julie, sers-toi des motifs adhésifs et de laine noire pour les cils.

4 Fais des trous de chaque côté de la chaussette à l'endroit des bras. Tu peux placer des bandes de feutrine pour cacher les trous.

4

5

5 Donne du mouvement aux cheveux, enfile le gant et Julie sera prête !

Les marionnettes sur bâtonnets

Ce groupe original de musiciens avec leur chef est formé de marionnettes sur bâtonnets. Elles peuvent être simples ou complexes, selon le résultat visé. Les marionnettes représentées ici ont toutes deux bâtons : l'un dirige un bras, l'autre supporte le corps. Tu peux prévoir beaucoup de parties mobiles. Dans ce cas, tu auras sûrement besoin d'un assistant pour les mettre en scène.

Tu auras besoin de bâtons de balsa ou de petit bois — des crayons longs conviennent aussi — de feutrine de couleur, de punaises, de laine, de balles de ping-pong ou de boules de coton, de pâte à modeler et de crayons-feutres de couleur.

Comment actionner ces marionnettes
Elles sont très simples à actionner. Il suffit de tenir d'une main le bâton qui supporte le corps, pendant que tu remues l'autre bâton qui dirige le bras de la marionnette.

Le chef d'orchestre et l'abeille
Notre chef d'orchestre essaie d'éloigner une abeille avec sa baguette, à la grande confusion des musiciens !

Charlotte la violoncelliste
Pour jouer du violoncelle,
Charlotte bouge son archet
de la main gauche.

Guy le guitariste
Guy joue de la guitare
en grattant de la main
droite.

Denise la batteuse
Denise joue de la
batterie en faisant
bouger ses bras de
feutrine de haut en bas.

81

Le chef d'orchestre

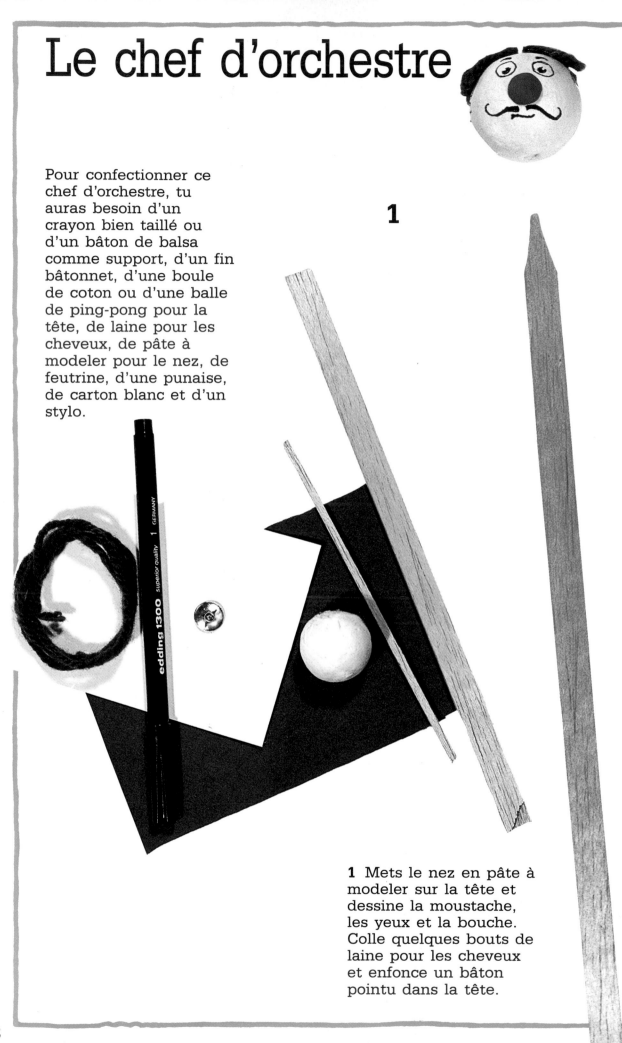

Pour confectionner ce chef d'orchestre, tu auras besoin d'un crayon bien taillé ou d'un bâton de balsa comme support, d'un fin bâtonnet, d'une boule de coton ou d'une balle de ping-pong pour la tête, de laine pour les cheveux, de pâte à modeler pour le nez, de feutrine, d'une punaise, de carton blanc et d'un stylo.

1

1 Mets le nez en pâte à modeler sur la tête et dessine la moustache, les yeux et la bouche. Colle quelques bouts de laine pour les cheveux et enfonce un bâton pointu dans la tête.

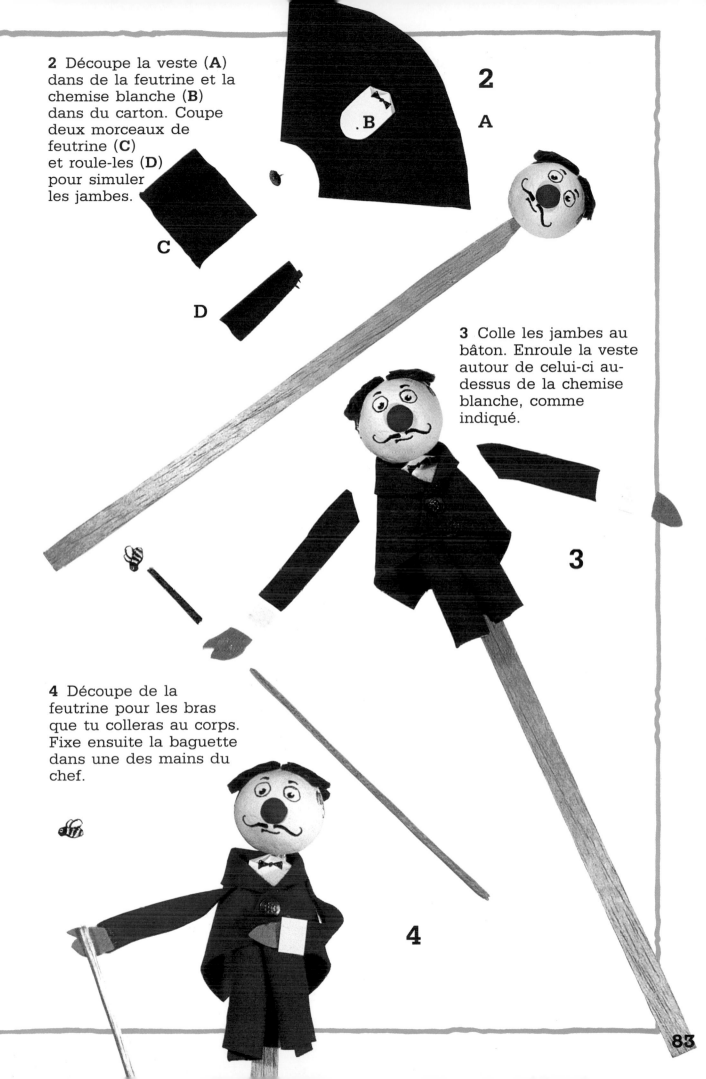

2 Découpe la veste (**A**) dans de la feutrine et la chemise blanche (**B**) dans du carton. Coupe deux morceaux de feutrine (**C**) et roule-les (**D**) pour simuler les jambes.

3 Colle les jambes au bâton. Enroule la veste autour de celui-ci au-dessus de la chemise blanche, comme indiqué.

4 Découpe de la feutrine pour les bras que tu colleras au corps. Fixe ensuite la baguette dans une des mains du chef.

Les pantins

Les pantins sont des marionnettes que tu actionneras
par le haut grâce à des ficelles. Comme beaucoup
d'autres marionnettes, les pantins ont servi à divertir les
gens du monde entier pendant des centaines d'années.
Voici quelques exemples simples qui te permettront
d'augmenter ton équipe d'acteurs.

Tu auras besoin de chevilles, de bâtons de balsa,
de ficelle, de balles de ping-pong ou de boules de
coton, de feutrine de couleur, de colle forte,
de pâte à modeler, de carton et de
crayons-feutres pour décorer.

Un poulet polisson

Comment actionner les pantins

Pour actionner ce
pantin, incline la barre
transversale dans
différentes directions.
Il pourra marcher,
danser, picorer ou voler.
Plus le pantin est
soutenu par des ficelles,
plus dure est sa
manipulation. Il
convient de s'exercer
face à un miroir avant
toute représentation.

Une vache heureuse

Ici, la barre transversale est aménagée différemment afin que la vache puisse bouger ses quatre pattes.

Un canard en vol

Ce canard est très facile à réaliser. Il est en trois morceaux, un corps et deux ailes. Il faut mettre de la pâte à modeler à l'arrière du corps pour lui donner du poids. Une ficelle est attachée au corps et deux autres aux ailes. Si tu bouges la barre transversale de haut en bas, le canard battra des ailes.

Comment réaliser un poulet

1

Le poulet polisson est réalisé avec de la feutrine de couleur, de la laine, deux bâtons, deux balles de ping-pong ou boules de coton, de la pâte à modeler, de la ficelle, une attache parisienne, de la colle, du carton et des crayons-feutres pour décorer.

1 Prenez de la pâte à modeler pour faire les ergots, le bec et les yeux, de la laine pour le cou et les pattes et de la feutrine pour la crête. Assemble comme indiqué.

2

2 Enveloppe l'autre balle de ping-pong de feutrine jaune pour former le corps. Colle des ailes en feutrine. Le col et la cravate sont en carton.

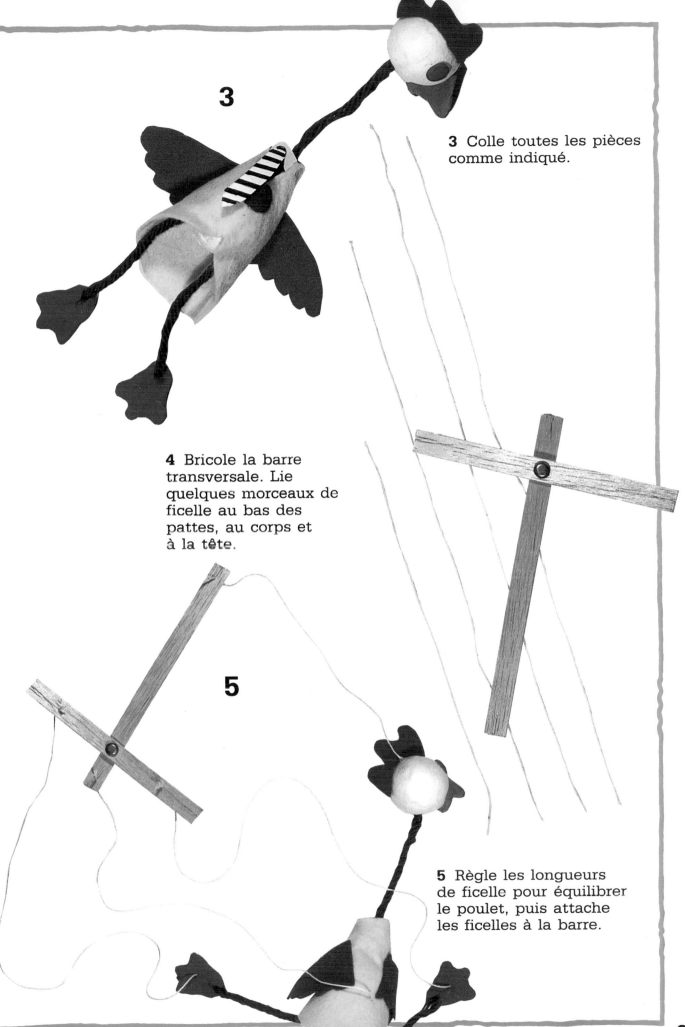

3

3 Colle toutes les pièces comme indiqué.

4 Bricole la barre transversale. Lie quelques morceaux de ficelle au bas des pattes, au corps et à la tête.

5

5 Règle les longueurs de ficelle pour équilibrer le poulet, puis attache les ficelles à la barre.

Les ombres chinoises

Les ombres chinoises sont aussi une forme de théâtre. En créer peut être très simple ou très compliqué, selon le résultat visé. Les quelques créatures illustrées sont assez simples à réaliser, mais avec un peu de pratique, tu pourras les faire intervenir dans des mises en scène. En changeant la position de tes doigts, tu leur feras ouvrir ou fermer les yeux. Ajoute différents effets sonores tout en modifiant la position de leur bouche, et les animaux se mettront à aboyer, hennir ou crier. Les ombres peuvent grandir, se pourchasser et même combattre à mort!

Pour obtenir des ombres chinoises, il faut une source lumineuse derrière toi et un mur clair en face. Tu peux utiliser soit une lampe de bureau ou une lampe de poche, soit encore la lumière naturelle. Si tu ne disposes pas de mur blanc, fais pendre un drap blanc.

Lapin

Chien

Autruche

Les ombres chinoises

Éléphant

Oiseau

Rocker punk

Lapereau

Vautour

Loup

Les ombres et les accessoires

Il est possible de créer une foule d'ombres très amusantes en leur assortissant des accessoires en carton. Des découpes simples, comme par exemple la crête du coq ci-dessous, peuvent produire beaucoup d'effet. Tu peux également créer des formes plus complexes, comme le groupe de chevaliers à la page 95. Pour réussir de telles ombres, munis-toi d'une forte source de lumière et maintiens les mains suffisamment près du mur. Ces précautions assureront une parfaite netteté à tes ombres dont tous les détails ressortiront.

Le coq
Cette découpe en carton représente une crête de coq. Colle une boucle en carton à la base pour fixer la crête à ton doigt. Ton autre main peut servir à représenter les plumes.

Le crocodile

La tête du crocodile est conçue en deux pièces séparées. Découpe un œil et une narine. Applique une boucle à chacune des pièces pour y passer tes doigts. Ton bras servira de corps à l'animal.

Le pêcheur

La tête et le chapeau du pêcheur sont d'une seule pièce avec une boucle en carton pour passer ton doigt. Pour fabriquer la canne, roule une bande de carton et place à l'extrémité une ficelle qui servira de ligne.

Les ombres et les accessoires

Les boxeurs
Ces vilains garnements sont prêts à lutter jusqu'à la mort. Découpe la tête et les gants de boxe et applique les boucles. Accroche-les à tes doigts comme indiqué ici, et que le match commence !

Le groupe pop

Le guitariste a de longs cheveux en laine noués par un catogan. Le chanteur a, quant à lui, des cheveux de ficelle coiffés en brosse. Tu peux créer les autres membres du groupe et demander à un ami de t'aider à les mettre en scène.

Les chevaliers en armure

Avec leurs casques à plumes, leurs boucliers et épées, ces chevaliers sont prêts à s'entretuer.

Pour faire du théâtre

Un théâtre d'ombres s'organise au travers d'un écran transparent qui laisse filtrer la lumière. Les marionnettes jouent derrière l'écran de sorte que seule leur ombre est visible par l'audience. Il y a différentes manières de monter un théâtre d'ombres. Utilise soit un morceau de vieux drap que tu étends sur un cadre, soit une boîte en carton que tu décores. Appliques-y du papier calque ou sulfurisé.

Le théâtre ci-dessous est très simple. Découpe un cercle dans du carton noir, colorie le paysage qui convient sur le calque et colle-le sur le cadre. Fais tenir le cadre à une chaise et installe une source de lumière.

Le crocodile a des allures terrifiantes sur ce décor de marais.

Accompagnées d'accessoires, les ombres chinoises peuvent parfaitement servir au théâtre, si tu les maintiens suffisamment près de l'écran. Dessine un ring de boxe sur l'écran comme lieu d'action et marque avec une sonnette de vélo le début et la fin de chaque round !

Le coq chante dès l'aube face à un ciel rose.

Les marionnettes simples

Les marionnettes utilisées ici sont des figures plates, articulées par des bâtons ou des ficelles, que l'on fait bouger contre un écran. Les marionnettes d'ombres traditionnelles étaient fabriquées avec du cuir ou du parchemin peint ou huilé, mais tu peux en réaliser d'excellentes tout simplement avec du carton rigide.

Il est bon de prévoir diverses marionnettes pour tes mises en scène. Il n'est pas nécessaire qu'elles soient toutes réalistes : tu peux créer de nouveaux monstres ou créatures en assortissant la tête d'un animal au corps d'un autre. Aie recours à ton imagination pour les rendre amusants, féroces, ridicules ou beaux.

Le dinosaure
Ce féroce stégosaure est actionné grâce à un bâton collé sur son dos.

L'araignée
Cette horrible araignée
géante avec ses
mâchoires pointues est
suspendue par un fil
derrière l'écran.

Le singe
Peins l'écran pour qu'il
ressemble à une jungle
et laisse balancer le singe
au travers des arbres
par le fil lié à sa queue.

Les avions en papier

On peut fabriquer soi-même beaucoup de jouets. Les avions en papier sont probablement les plus faciles à réaliser. Ils peuvent pourtant être spectaculaires, rapides et précis. Il existe des motifs à l'infini pour créer des avions, et beaucoup ne demandent qu'une simple façon de plier une feuille de papier. Essaie tes propres modèles. Découpe des ailes, arrange la queue ou donne du poids au nez jusqu'à ce que l'avion décolle !

1 Prends une épaisse feuille de papier rectangulaire. Plie-la comme indiqué, puis déplie-la.

1

2 Prends le côté plié. Tourne la feuille de l'autre côté, puis fais un nouveau pli. Ouvre le pli.

2

3 Déplie la feuille. Retourne-la et plie-la au niveau du point de rencontre des plis qui se croisent.

3

4

4 En t'aidant de ces repères, rentre les côtés à l'intérieur pour obtenir un triangle, comme indiqué.

5

5 Rabats les coins inférieurs du triangle vers le sommet.

6

6 Replie le sommet du triangle pour former le nez de l'avion.

7 Tiens le nez. Rentre les coins de chaque côté à l'intérieur des plis du nez, comme indiqué. Replie les ailes. Ton avion est prêt à décoller !

7

Le ballon-fusée

Ce ballon-fusée est très amusant. À toute vitesse, il s'élance le long d'une corde tendue.

Matériel: un ballon de forme allongée, une paille, du ruban adhésif, une attache métallique, du fil (au moins trois mètres), du carton, des crayons de couleur et des ciseaux

1 Découpe deux petits morceaux de paille et enfile-les sur le fil.

1

2

2 Gonfle le ballon et ferme-le à l'aide d'une attache, comme indiqué.

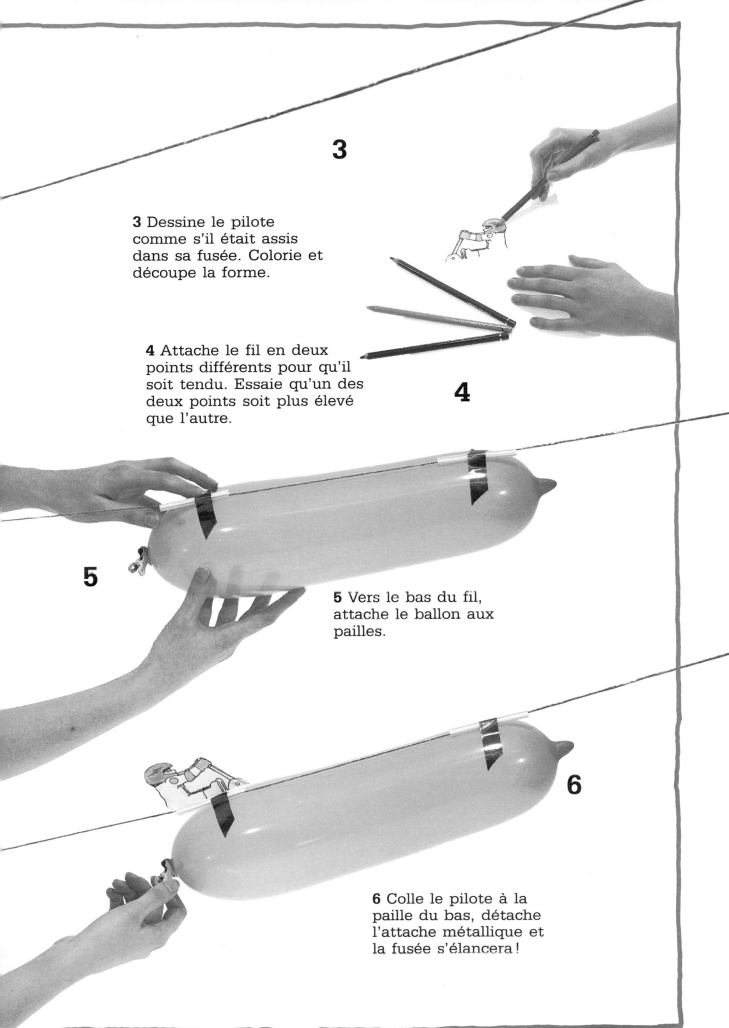

3

3 Dessine le pilote comme s'il était assis dans sa fusée. Colorie et découpe la forme.

4 Attache le fil en deux points différents pour qu'il soit tendu. Essaie qu'un des deux points soit plus élevé que l'autre.

4

5

5 Vers le bas du fil, attache le ballon aux pailles.

6

6 Colle le pilote à la paille du bas, détache l'attache métallique et la fusée s'élancera !

Le parachute

Ce parachute hautement coloré est réalisé à partir d'un... sac-poubelle !

Matériel : un sac-poubelle, du ruban adhésif coloré, du fil, un jouet léger et des ciseaux

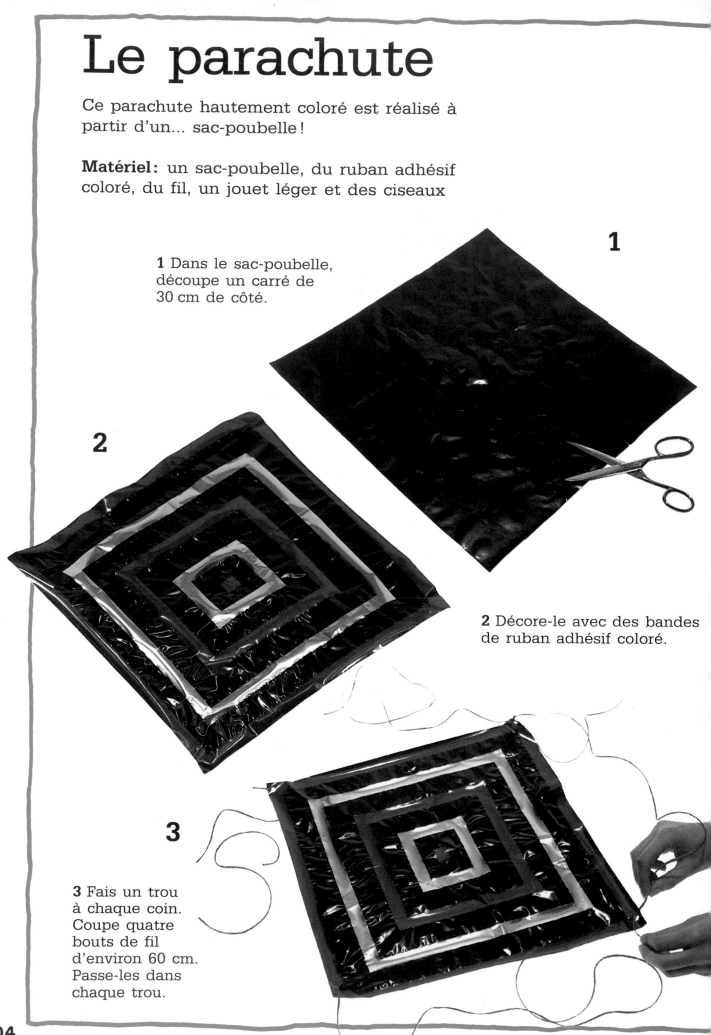

1 Dans le sac-poubelle, découpe un carré de 30 cm de côté.

1

2

2 Décore-le avec des bandes de ruban adhésif coloré.

3

3 Fais un trou à chaque coin. Coupe quatre bouts de fil d'environ 60 cm. Passe-les dans chaque trou.

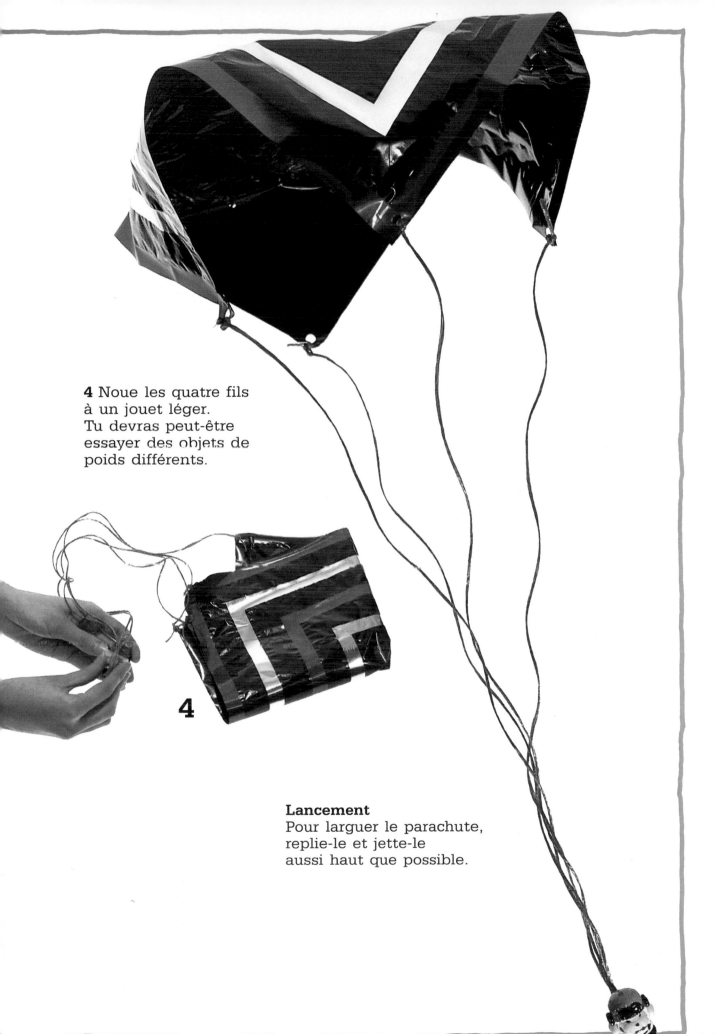

4 Noue les quatre fils
à un jouet léger.
Tu devras peut-être
essayer des objets de
poids différents.

4

Lancement
Pour larguer le parachute,
replie-le et jette-le
aussi haut que possible.

Le frisbee

Jouer au frisbee est très amusant. Une fois que tu maîtriseras la technique, tu seras surpris de voir comme le frisbee peut aller loin.

Matériel: quatre assiettes en papier, des ciseaux, des formes encollées, de la colle, de la peinture et un pinceau

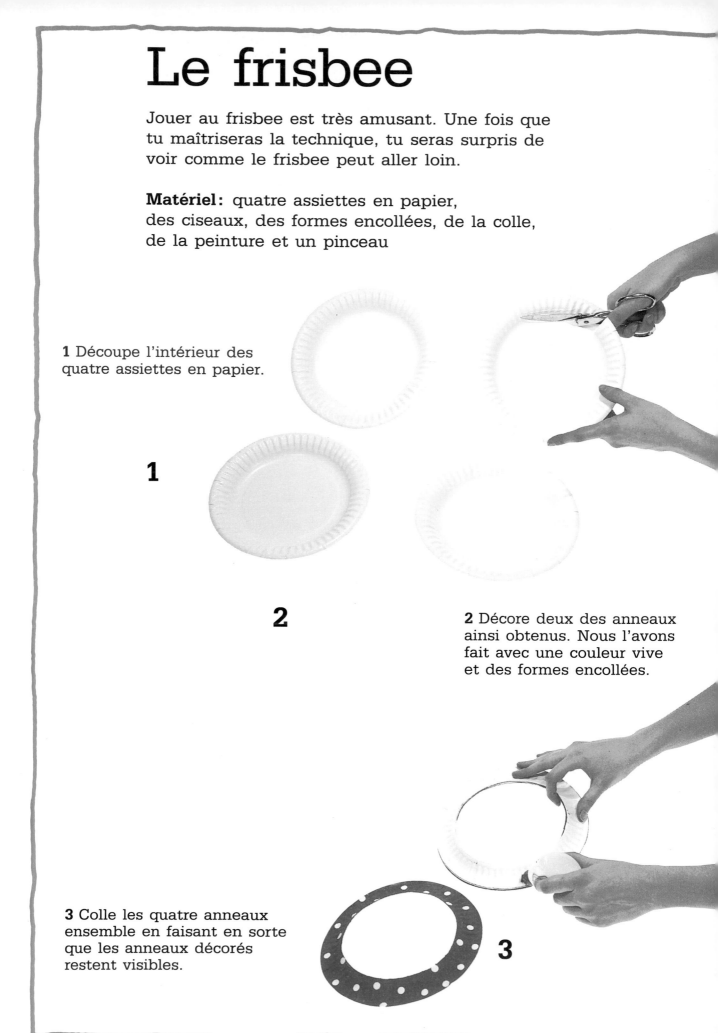

1 Découpe l'intérieur des quatre assiettes en papier.

1

2

2 Décore deux des anneaux ainsi obtenus. Nous l'avons fait avec une couleur vive et des formes encollées.

3 Colle les quatre anneaux ensemble en faisant en sorte que les anneaux décorés restent visibles.

3

Pour faire voler
A Tiens le frisbee à
hauteur de poitrine.
Replie la main vers
ton corps.
B D'un coup de poignet,
C lâche le frisbee.
Il devrait se déplacer
parallèlement au sol et
non pas vers le haut.

A

B

C

Le cerf-volant traditionnel

Le cerf-volant fut probablement inventé en Orient, il y a plus de 2 000 ans. Le modèle présenté ici s'envolera à la plus petite brise.

Matériel: un sac en plastique, deux bâtonnets de bambou, du fil, du ruban adhésif fort, du fil de retenue et un enrouleur, de la peinture et un pinceau

1 Découpe une forme comme celle-ci dans un sac en plastique.

1

3

2 Coupe les bâtonnets pour qu'ils correspondent aux dimensions du cerf-volant. Croise-les comme indiqué et lie-les au centre. Ce sera les montants.

3 Colle les montants au cerf-volant avec du ruban adhésif. Retourne le cerf-volant. Mets un morceau de ruban adhésif là où tu aperçois le croisement des bâtonnets.

2

4

4 Pour fabriquer la bride, coupe un bout de fil (deux fois la largeur du cerf-volant). Enfile-le par la face antérieure et noue-le autour des bâtonnets, puis refais-le passer de l'autre côté et noue solidement.

5

5 Enfile l'autre extrémité du fil au bas du cerf-volant et lie-le.

7 Décore. Du savon liquide facilitera l'adhésion de la peinture.

6

7

6 Attache le fil de retenue vers le centre de la bride, un peu plus haut. Peut-être devras-tu déplacer le fil sur la bride pour faire voler ton cerf-volant.

L'envol

La bride

Lis l'avertissement à la page 126 avant
de faire voler ton cerf-volant. La bride
est le fil qui relie le cerf-volant au fil
de retenue. La bride maintient
le cerf-volant à un angle correct
par rapport au vent.

Fais voler ton cerf-volant
Pour mettre ton
cerf-volant au vent,
déroule à peu près 20 m
de fil. Demande à un
ami de maintenir le
cerf-volant au-dessus
de sa tête, la queue
derrière lui.

Une fois le cerf-volant
dans les airs, appuie sur
le fil. Le cerf-volant
s'élèvera davantage.
Déplace le fil de retenue
afin que le cerf-volant
soit face au vent.

Lorsqu'il lève le
cerf-volant, marche à
reculons jusqu'à ce que
ce dernier s'élève.
Ensuite, déroule peu à
peu le fil de retenue.

La queue
Elle sert à stabiliser le
cerf-volant. Réalise-la en
plastique. Elle doit être
à peu près cinq fois
plus longue que
le cerf-volant. Décore-la
et fixe-la à l'arrière
du cerf-volant.

Le clown volant

Ce modèle se réalise sans queue. C'est le trou imitant la bouche qui lui donne sa stabilité. Les dimensions sont importantes. Consulte la page 126 pour les proportions à respecter.

Matériel : du plastique, du ruban adhésif fort, des bâtonnets de bambou, du fil de retenue et un enrouleur, des ciseaux, de la peinture et un pinceau

1 Découpe le cerf-volant en te basant sur les dimensions de la page 126. Colle du ruban adhésif sur le pourtour.

1

2

2 Avec du ruban adhésif, trace la bouche et coupes-en le centre.

3

3 Décore en ajoutant du savon liquide à la peinture pour une meilleure adhésion.

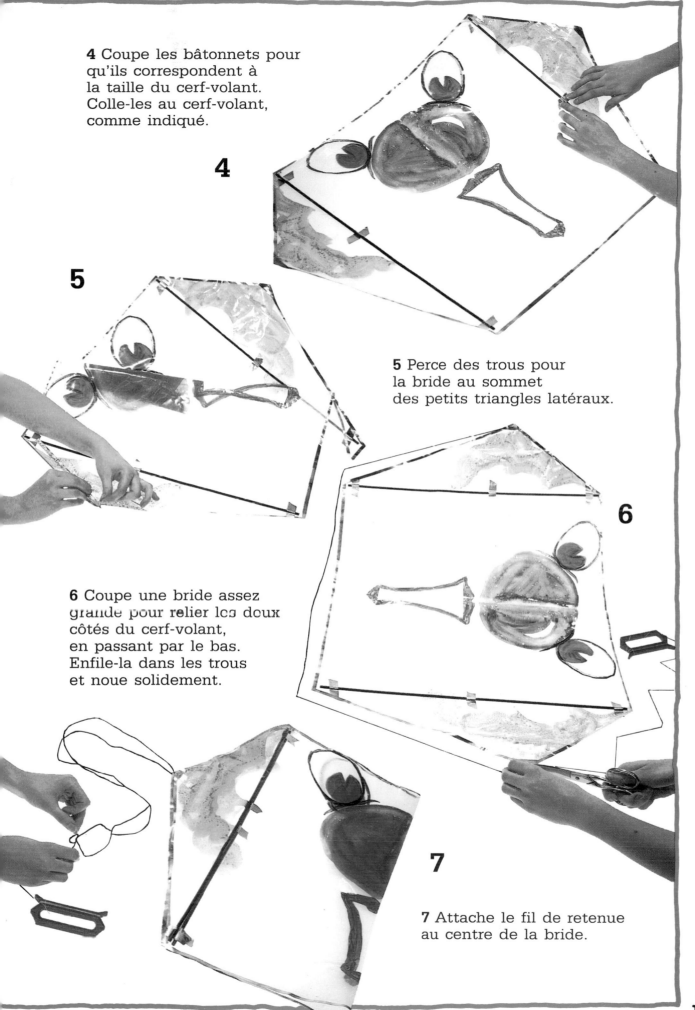

4 Coupe les bâtonnets pour qu'ils correspondent à la taille du cerf-volant. Colle-les au cerf-volant, comme indiqué.

4

5

5 Perce des trous pour la bride au sommet des petits triangles latéraux.

6

6 Coupe une bride assez grande pour relier les deux côtés du cerf-volant, en passant par le bas. Enfile-la dans les trous et noue solidement.

7

7 Attache le fil de retenue au centre de la bride.

Fais voler le clown !

Tu devras peut-être faire des essais pour voir quel cerf-volant vole le mieux en fonction du vent. Ce clown volant volera sans problème aussi bien par vent fort que par vent faible. Lis l'avertissement de la page 126.

Pour maintenir le fil
Il est important de veiller
à la position du fil quand
le cerf-volant est en l'air.
N'enroule jamais le fil
autour de tes mains car il
pourrait te blesser par vent
fort. Il suffit de le placer
sur un enrouleur ou
d'utiliser un bâtonnet
ou une bobine.

Matériel
Des coquilles d'œufs,
des coquetiers, des
graines de cresson, de
l'ouate et des feutres
pour la décoration

Les plantes instantanées

Le jardinage peut se concevoir à l'intérieur.
Certaines graines poussent vite quand elles sont
dans de bonnes conditions. La moutarde et
le cresson n'ont pas besoin de terre.
Après environ deux semaines, tu peux les couper.
Fais-les pousser dans des coquilles d'œufs
décorées, ou sème quelques graines sur un
plateau en suivant la forme d'une lettre
ou d'un chiffre. Regarde alors les plantes :
elles dessineront la lettre ou le chiffre !

Les conseils de Monsieur Doigtvert
Les graines de cresson poussent plus lentement
que la moutarde. Si tu veux manger ces légumes
en même temps, plante le cresson quatre jours
avant la moutarde. Cette dernière est poivrée ;
sème donc plus de cresson que de moutarde.

1

1 Nettoie avec soin
une coquille d'œuf vide
et décore-la en visage.
Suis ton imagination
et donne-lui un air
amusant, féroce, surpris
ou en colère. Il peut
s'agir d'un être humain,
d'un animal ou encore
d'un monstre !

2

2 Applique un peu d'ouate humide au fond de la coquille et sèmes-y les graines de cresson.

3

3 Place la coquille dans un endroit chaud et sombre. Veille à ce que l'ouate ne sèche pas. Asperge-la régulièrement pour que les graines restent humides.

4 Lorsque les plantes ont atteint environ 4 cm, place-les à la lumière. Deux semaines après le semis, les visages auront des cheveux verts!

4

Matériel
Des légumes frais, des
soucoupes, des galets,
de la ficelle, un cure-
dents solide ou une
brindille, et un couteau

1

1 Essaie de faire
pousser une carotte la
tête en bas et une autre
dans une soucoupe.
Compare les résultats.
Coupe la carotte à 5 cm
de haut et retaille
les feuilles. Vides-en
soigneusement
le sommet.

2

2 Enfonce un cure-dents
solide ou une brindille
au travers de la carotte
évidée.

Les têtes de végétaux

Les feuilles de légumes frais peuvent donner
des compositions surprenantes. Les betteraves ont
des feuilles nervurées d'un vert rougeâtre. Les feuilles
de carottes deviennent des fougères. Panais, navets,
radis et ananas (si le centre n'a pas été coupé) font
des plantes décoratives. Si elles ne durent que quelques
semaines, elles sont faciles à obtenir et pas chères.

Les conseils de Monsieur Doigtvert
Coupe les légumes à 1 cm environ du sommet,
et laisse 2 cm de feuilles. Place-les dans des plats
remplis d'eau ou dans des soucoupes avec des galets
et de l'eau. Ne les laisse pas sécher. Mets-les dans
un endroit chaud et ensoleillé. Les feuilles pousseront
après quelques semaines.

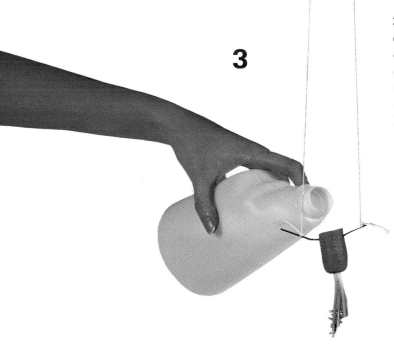

3 Noue un morceau de ficelle à chaque extrémité de la brindille et suspends la carotte dans un endroit chaud et ensoleillé. Remplis la carotte d'eau et arrose-la régulièrement. Tu t'apercevras que les feuilles pousseront vers le haut, créant ainsi une plante inhabituelle.

Essaie de faire pousser plusieurs sommets de légumes et compare leur façon de pousser.

Ananas, radis et navets peuvent pousser sur des soucoupes remplies d'eau et de galets.

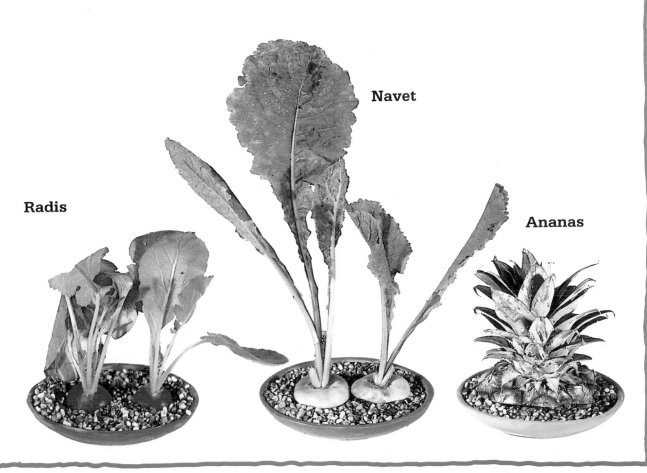

Navet

Radis

Ananas

Fais pousser des citrouilles.
Achète des graines de citrouille. Sème-les en pots, puis suis les instructions indiquées sur l'emballage. Tu devras beaucoup surveiller cette plante. Bonne chance !

La lanterne citrouille

Aux États-Unis comme au Canada, une citrouille illuminée de l'intérieur et décorée d'une grimace fait partie du folklore de la fête des sorcières, le 31 octobre. La plupart des gens achètent des citrouilles, mais tu peux essayer de faire pousser la tienne. Ce légume peut atteindre 50 cm de large et peser jusqu'à 25 kg. Il faudra quatre mois pour qu'il pousse.

Les conseils de Monsieur Doigtvert
Les graines peuvent être mises en pots, mais pour obtenir une belle citrouille, il te faut un jardin et du bon engrais.

Pour fabriquer cette lanterne, tu auras besoin d'une citrouille de forme régulière, d'une petite bougie, d'un couteau et d'une cuiller. (Sois très prudent avec le couteau !)

1 Ôte le haut de la citrouille et garde-le comme couvercle, ou fais carrément un trou. Vide la chair et conserve de belles graines pour l'année prochaine.

1

2 Pour réaliser la vilaine grimace, dessine un visage au feutre, puis au couteau.

2

3

3 Place une chandelle ou une petite bougie à l'intérieur. Allume avec précaution et recule : tu auras une belle lanterne !

Le jardin miniature

Avec un peu d'imagination et quelques matériaux, tu créeras un jardin miniature. Prends un petit miroir pour l'étang, des cailloux pour les blocs de pierre, et des brindilles pour de superbes arbres morts. Nous avons choisi un plateau en terre cuite, mais un bol fait l'affaire.

Les conseils de Monsieur Doigtvert
Il te faut des plantes à croissance lente pour ce jardin. Adresse-toi à un commerçant qui te conseillera. Tu peux aussi prendre des boutures. Mousses et lichens sont gratuits. Tu trouveras de la mousse sur l'écorce des arbres, dans l'herbe et dans les fissures des pavés et murs.

Matériel
Un plateau creux, un miroir pour l'étang, des pierres et des galets, de la mousse et des lichens, des plantes à croissance lente, telles que des sapins miniatures ou des herbes, du terreau de rempotage

1

1 Mets une couche de terreau de rempotage au fond du plateau. Dispose une ou deux grosses pierres et le miroir en dissimulant les coins avec du terreau. Évalue plus ou moins où tu placeras tes plantes.

2

2 Place les plantes et arbrisseaux. Pense aux couleurs et essaie de les organiser pour obtenir le meilleur contraste. Arrose prudemment et, si tu veux, décore avec quelques figurines.

Le désert de cactus

Tu t'amuseras beaucoup en faisant cette scène de désert.
Les cactus sont fascinants en raison de leur forme étrange
et des fleurs très éclatantes qu'ils arborent parfois, à notre
surprise. Ton désert sera encore plus vraisemblable
si tu y plantes beaucoup de cactus différents.
Dessine un arrière-plan et mets-le derrière le jardin :
la scène n'en sera que plus réaliste.

Les conseils de Monsieur Doigtvert

Les cactus viennent des pays chauds. Ils aiment les
endroits chauds et ensoleillés. Ils stockent l'eau dans leurs
épaisses racines et n'ont pas besoin d'arrosage excessif.
Au printemps et en été, arrose-les de préférence
avec de l'eau de pluie. Laisse sécher le sol en hiver.

Matériel

Des cactus de diverses
espèces, (choisis des
cactus qui fleurissent
quand ils sont petits et
n'oublie pas de
demander des boutures
dans ton entourage), un
plat creux, des galets, de
la terre sablonneuse, des
gants de jardinage et
du papier épais

1 Dispose une couche de galets dans le fond du plat pour un bon drainage. Recouvre de terre sablonneuse.

1 + 2

2 Plante tes cactus comme indiqué ici, en te servant de tes gants de jardinage et de papier épais pour protéger tes mains.

3

3 Arrose le terreau légèrement, couvre les espaces séparant les cactus de galets et arrose à nouveau.

4

4 Fais appel à ton imagination pour dessiner un décor de désert que tu placeras à l'arrière de ton jardinet.

Avertissement

Sois toujours prudent avec ton cerf-volant. Ne le fais pas voler près des lignes à haute tension, ni près d'une route, d'une voie ferrée ou d'un aéroport. Ne joue jamais pendant un orage. Le meilleur endroit est un parc, à l'écart des arbres, ou encore sur le côté venteux d'une colline ou sur la plage.

Le clown volant

Utilise ces dimensions pour le clown. Il peut être de la taille que tu veux.

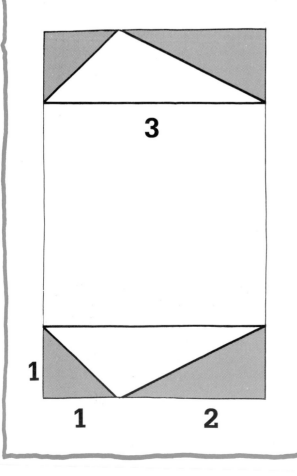

Quelques conseils

Fais attention lorsque tu utilises des ciseaux ou un couteau car tu pourrais te blesser. Demande toujours l'aide d'un adulte, surtout pour des découpes compliquées.

Si tu as besoin de peinture ou de colle pour l'un de ces bricolages, couvre au préalable ta surface de travail avec du papier journal et, éventuellement, nettoie les taches par après.

Ne baisse pas trop vite les bras si le bricolage que tu veux réaliser n'est pas d'emblée bien fait. N'oublie pas que c'est en forgeant que l'on devient forgeron!

Au lieu de les jeter à la poubelle, prends l'habitude de mettre de côté tous les matériaux qui pourraient t'être utiles pour tes bricolages.

Les matériaux nécessaires sont: ficelle, laine, carton, papier calque, papier de soie, papier d'aluminium, papier adhésif, papier de couleur, papier journal, tissu noir, sacs-poubelle en plastique noir, peinture, colle, ouate, feutrine de couleur, motifs adhésifs, balles de ping-pong, boules de coton, bâtons de balsa, bâtonnets de bambou, pâte à modeler, sacs en papier, assiettes en papier, boîtes en carton, rouleaux vides de papier hygiénique, bouteilles en plastique (bien rincées), ruban, coquilles, pailles, chaussettes usagées, gants en caoutchouc, boîtes à œufs, coquilles d'œufs, fil métallique, ballons à gonfler de diverses formes, farine, eau, fruits et légumes, colorant alimentaire, lait concentré sucré, œufs, graines de cresson, galets, mousse, lichens, plantes à croissance lente (sapins miniatures, etc.), terreau de rempotage, terre sablonneuse, diverses boutures de plantes, etc.

Les outils nécessaires sont: crayons, crayons-feutres, ciseaux, couteaux, pinceaux, cure-dents, bâtonnets, épingles de nourrice, punaises, chevilles, petites éponges, élastiques, trombones, attaches parisiennes, petites piles, petites ampoules, bols pour mélanger, cuillers, assiettes, planche à hacher, cuillers en bois, rouleau à pâtisserie, formes, palette, plaque de cuisson, poêlon, jeux de cartes, verres, foulards, coquetiers, soucoupes, bougies, plateaux creux, gants de jardinage, etc.

Si tu ne parviens pas à rassembler tout ce qu'il te faut, réfléchis bien: il est toujours possible de trouver d'autres matériaux qui pourront convenir. Bon amusement!

Index